D1170622

Les Éditions du Boréal
4447, rue Saint-Denis
Montréal (Québec) H2J 2L2
www.editionsboreal.qc.ca

L'Europe aux XVIIe et XVIIIe siècles

DU MÊME AUTEUR

Les Relations entre le Parlement de Paris et Henri IV,
Paris, Publisud, coll. « La France au fil des siècles », 2000.

Québec, Champlain, le monde, collectif sous la direction de Michel De Waele et Martin Pâquet, Québec, Presses de l'Université Laval, 2008.

Michel De Waele

L'Europe aux XVIIe et XVIIIe siècles

Boréal

Les Éditions du Boréal reconnaissent l'aide financière du gouvernement du Canada par l'entremise du Programme d'aide au développement de l'industrie de l'édition (PADIÉ) pour ses activités d'édition et remercient le Conseil des Arts du Canada pour son soutien financier.

Les Éditions du Boréal sont inscrites au Programme d'aide aux entreprises du livre et de l'édition spécialisée de la SODEC et bénéficient du Programme de crédit d'impôt pour l'édition de livres du gouvernement du Québec.

Couverture : Olivier Lasser

Dépôt légal : 2e trimestre 2002
Bibliothèque et Archives nationales du Québec

Diffusion au Canada : Dimedia
Distribution et diffusion en Europe : Volumen

Catalogage avant publication de Bibliothèque et Archives nationales du Québec et Bibliothèque et Archives Canada

De Waele, Michel, 1963-
L'Europe aux XVIIe et XVIIIe siècles
(Collection Boréal express ; 22)
Comprend des réf. bibliogr.

ISBN 978-2-7646-0154-9

1. Europe – Civilisation – 17e siècle. 2. Europe – Civilisation – 18e siècle. 3. Europe – Histoire – 17e siècle. 4. Europe – Histoire – 18e siècle. 5. Europe – Conditions économiques. 6. Europe – Conditions sociales. I. Titre.

D247. D42 2002 940.2'52 C2002-940502-5

Table

Introduction

Coincée entre la Renaissance et la grande Révolution qui, partie de la France, gagna l'ensemble du continent européen, la période historique qui couvre les XVIIe et XVIIIe siècles est généralement appelée « Ancien Régime ». Cette désignation se voulait politique à l'origine. S'agissant des institutions que les révolutionnaires pensaient avoir balayées du revers de la main, il était devenu habituel, dès les années 1790, de parler du « régime ancien ». Cela supposait une coupure entre deux mondes possédant chacun sa propre cohérence. Or, on sait aujourd'hui que bien des éléments traditionnellement rattachés à l'ère de la Révolution trouvaient leurs racines dans la période qui l'avait précédée.

Il est toujours délicat de séparer le passé en tranches chronologiques précises. L'Histoire est évolution par définition. Les événements, les développements, les habitudes se nourrissent d'eux-mêmes. Si la Révolution puise ses sources dans l'Ancien Régime, ce dernier fut la suite du parcours entamé par l'Europe il y a des siècles. Cela n'est pas dit pour amoindrir l'importance de cette période. Les XVIIe et XVIIIe siècles ont permis l'aboutissement de longs processus politique, économique, social, religieux et intellectuel qui avaient germé lors du Moyen Âge ou de la Renaissance. À ce titre, on parle également de la « modernité » européenne ou, plus simplement, de la période moderne en référence à ces deux siècles.

Cette modernité se définit le plus facilement à partir de certaines caractéristiques, regroupées ici pour fins de présentation en catégories précises, mais qui pouvaient se rapporter à plus d'un secteur d'activités. Du côté de l'État, on assista à la montée et à l'élargissement de l'activité gouvernementale, à une centralisation continue des pouvoirs et à la bureaucratisation de l'appareil administratif. En matière économique, la période fut marquée par les débuts du capitalisme, de l'industrialisation et de la mondialisation. Dans ce cadre, les hommes devinrent de plus en plus individualistes, eux qui jusque-là vivaient dans un univers essentiellement collectif, et purent profiter d'une mobilité sociale accrue. Quant à la société, elle fit de plus en plus de place à la raison et se laïcisa à bien des égards.

Ces évolutions eurent des répercussions distinctes dans les nombreux États qui composaient l'Europe de l'époque. L'ouest du continent, entendons par là la région allant de l'Angleterre au centre de l'Allemagne, connut un développement assez rapide, alors que l'est s'éveilla progressivement à la modernité à partir de la deuxième moitié du XVIIe siècle. L'Europe ne formait pas un tout cohérent à cette époque et chacune de ses parties pourrait être étudiée selon ses particularités. Il existait toutefois un certain ferment d'unité, qui se manifestait particulièrement sur les plans politique et social. L'immense majorité des États européens étaient constitués en royaumes ; en leur sein, la noblesse dominait le corps social. On se trouve ici devant un des legs majeurs du Moyen Âge, qui devint le problème le plus important de l'Ancien Régime, celui qui le mena à sa perte.

Le modèle social de base, accepté de tous, entrait en contradiction aiguë avec les différentes évolutions du monde européen. La société en général se définissait en fonction de différentes collectivités. Or, les tendances à l'œuvre aux XVIIe et XVIIIe siècles favorisaient davantage l'individualité. Il y avait là une contradiction fondamentale que l'État, qui se centralisait de plus en plus, ne fut pas capable de résoudre. Les Européens de l'Ancien Régime ne pouvaient voir que l'évolution de leur société les menait dans une impasse. Après un XVIIe siècle particulièrement pénible, marqué par de grandes guerres paneuropéennes, ils jouirent d'un puissant essor économique au XVIIIe siècle, favorisé par un net recul des conflits armés. La prospérité, porteuse d'individualité, sonna le glas de la période qui l'avait vue naître.

CHAPITRE I

Les mondes de l'État

Les gouvernements de l'époque moderne cherchaient à concentrer en eux une souveraineté complètement éparpillée. Pour ce faire, ils mirent sur pied ou améliorèrent des outils leur permettant de gérer leurs territoires de façon plus efficace et de centraliser le pouvoir entre leurs mains. Ceci ne s'est pas fait sans susciter des oppositions parfois violentes

Les formes de gouvernement

L'État des XVIIe et XVIIIe siècles est généralement reconnu pour avoir été absolutiste, dominateur, puissant. L'objectif premier des hommes s'étant trouvés à la tête des différentes monarchies et républiques de l'époque fut d'amoindrir les diversités que l'on retrouvait en leur sein et qui les affaiblissaient.

Gouverner la diversité

Les monarques du temps régnaient généralement sur des assemblages de terres accumulées au fil des années par le biais de conquêtes, de mariages et d'héritages. Sur le plan géographique, certains États, comme la France ou l'Angleterre, formaient un ensemble relativement homogène. Les monarques espagnols ne pouvaient en dire autant de leurs possessions. En 1469, le mariage d'Isabelle de Castille et de Ferdinand d'Aragon avait ouvert la voie à l'unification de la couronne espagnole. Mais chaque territoire qui la composait avait gardé des institutions et des pratiques politiques propres. En conséquence, l'emprise des souverains était plus prononcée sur certaines régions de la péninsule, la Castille par exemple, que sur d'autres, comme l'Aragon ou la Catalogne. De plus, au début du XVIIe siècle, les souverains d'Espagne régnaient sur le Portugal (jusqu'en 1640, lorsque la dynastie des Bragance remonta sur le trône), Naples, la Sicile, la Sardaigne, la Franche-Comté et évidemment les colonies du Nouveau Monde.

Les domaines sous la gouverne des monarques se caractérisaient par la présence de langues, de lois, de coutumes, d'institutions, voire de religions différentes. Au Luxembourg, en 1600, quelque 101 coutumes juridiques, c'est-à-dire des codes de lois non écrits, étaient encore en vigueur. En France, l'impôt direct pouvait être levé de façon différente d'une province à l'autre, en fonction de l'existence ou non de coutumes établies et d'anciennes institutions comme les États provinciaux. Quant à la diversité religieuse, produit de l'apparition du protestantisme au XVIe siècle, elle s'imposa généralement malgré les efforts de la majorité des gouvernements de l'époque pour obliger les sujets à ne pratiquer que la religion de leur prince.

Il faut rajouter à ce tableau déjà compliqué deux systèmes sociaux qui se chevauchaient. Les États étaient formés d'une part d'une société d'ordres, basée sur les anciennes classifications sociojuridiques héritées du Moyen Âge (noblesse, clergé, tiers état), et d'autre part d'une société de classes qui commençait à se manifester, articulée autour de l'activité économique et de la richesse. La première reposait sur la notion de groupe, la deuxième sur celle d'individu. La société d'ordres dépendait de familles, d'ensembles souvent organisés en corporations : l'Église, la noblesse, les guildes. Elle se basait sur l'idée fondamentale de l'inégalité entre les hommes, qui était reconnue par la loi et devait être visible dans la vie de tous les jours notamment grâce aux privilèges dont profitait particulièrement la noblesse. La société de classes, elle, affirmait une certaine égalité entre les individus qui devait se manifester, entre autres mesures, par l'élimination ou la redéfinition de ces privilèges.

Le rôle traditionnel de la noblesse était de défendre le royaume et ses habitants contre toute menace extérieure ou intérieure. Le noble devait être prêt à donner sa vie pour cette cause. En retour de ce sacrifice ultime, il n'était que normal, croyait-on, qu'il puisse jouir de privilèges. Ceux-ci variaient énormément d'un État à l'autre. Toutefois, on peut dire que la préséance sociale, visible par exemple dans la place d'honneur accordée aux nobles à l'intérieur des églises, le port de l'épée qui leur était réservé, un statut particulier devant la loi et, surtout, des exemptions fiscales, était généralisée. Seuls les nobles anglais ne bénéficiaient pas de passe-droits devant l'impôt. Mais ces privilèges pouvaient être usurpés par des roturiers ou octroyés à des non-nobles par les monarques. C'est pourquoi les aristocrates cherchaient à se définir surtout en fonction d'un idéal reconnu par l'ensemble de la société. Cet idéal tournait autour du rejet du travail ordinaire, jugé aliénant, et de la fascination pour des loisirs considérés comme valorisants : la guerre, le jeu, la danse, la culture de l'esprit, le conseil du roi, la mise en valeur des domaines.

De leur côté, les bourgeois aspiraient évidemment à profiter de ces privilèges et à être reconnus à l'égal des aristocrates. De tout temps il fut possible pour un roturier d'accéder à la noblesse. C'était le roi qui octroyait le nouveau statut, ce qui lui permettait de garder une certaine emprise sur le groupe nobiliaire. En France, le XVIIIe siècle fut témoin de la naissance de 6 500 familles nobles environ. Les membres de celles-ci s'efforçaient d'abord de « vivre noblement » pour demander par la suite un titre de noblesse. Leur requête était souvent basée sur des services militaires accomplis par des membres de leur famille, ce qui témoigne de l'importance de l'idéal nobiliaire à cette époque. Mais, au fil des ans, les choses évoluèrent. Ainsi, en Castille, on note au XVIIIe siècle, dans les lettres demandant l'anoblissement, l'émergence de valeurs et de vertus propres au monde bourgeois : travail incessant, diligence, application, intégrité, éducation, service au public dans son voisinage et sa communauté.

Républiques et monarchies

Si la monarchie fut la forme de gouvernement prédominante à l'époque moderne, il n'en existait pas moins quelques républiques. Celles-ci n'exerçaient généralement leur influence que sur un petit territoire, bien souvent une ville et son arrière-pays plus ou moins vaste. Une oligarchie de marchands y détenait le pouvoir, à l'exemple des deux cents familles de patriciens à Venise. Alors que les républiques italiennes étaient en régression depuis le XVIe siècle après avoir régné sur l'Europe au cours des deux cents années précédentes, celle des Pays-Bas, ou Provinces-Unies, réussit à tirer son épingle du jeu aux XVIIe et XVIIIe siècles. Après s'être détaché de l'Espagne à la fin du XVIe siècle, cet État parvint à dominer le commerce mondial et à édifier un grand empire colonial.

Les pouvoirs des monarques qui régnaient sur la majorité des Européens variaient considérablement. Certains ne disposaient que d'une autorité limitée, notamment parce qu'ils étaient élus à leur fonction. C'était le cas du Saint Empire romain germanique qui chapeautait les quelque trois cents États allemands, de la Pologne et de la Bohême. Les rois de Pologne, les plus faibles d'Europe, ne pouvaient choisir leurs ministres, n'avaient pas de fonctionnaires à leur solde et n'avaient pas le droit de lever des impôts. La faiblesse de ce royaume mena à sa disparition pure et simple à la fin du XVIIIe siècle. Si l'impuissance du roi de Pologne dérivait de coutumes issues du Moyen Âge, les monarques d'Angleterre, eux, perdirent beaucoup de leurs pouvoirs au XVIIe siècle. Ce fut le résultat de deux révolutions (1642-1649 et 1688) menées par le Parlement pour contrer les velléités absolutistes des souverains. Les parlementaires s'assurèrent de larges pouvoirs sur le royaume, qui firent de celui-ci une des premières monarchies constitutionnelles d'Europe.

Les guerres civiles troublèrent de nombreux Européens, dont le philosophe anglais Thomas Hobbes. Celui-ci publia en 1651 le *Léviathan,* son chef-d'œuvre, dans lequel il chercha à justifier un gouvernement fort. Hobbes avança que l'homme, dans son état naturel, était toujours en conflit avec son semblable. Afin de prévenir le chaos total, l'ensemble de l'humanité avait accepté la tutelle d'une puissance souveraine, source unique de l'autorité, de la loi et de la moralité, à laquelle les individus se soumettaient librement. De telles idées servirent à justifier l'absolutisme. Un monarque absolu n'était pas un tyran : il pouvait faire ce qu'il voulait, mais toujours à l'intérieur de cadres politique, juridique et religieux précis ; il ne pouvait dépasser certaines limites que l'on appelait les lois fondamentales de son royaume. Ainsi, tout absolu qu'il fût, Louis XIV n'aurait jamais pu désigner arbitrairement son successeur sur le trône de France, car, selon la loi de succession à la couronne, le futur roi devait obligatoirement être son plus proche parent mâle en ligne directe. Qui plus est, selon la loi de catholicité, le souverain français devait toujours être catholique. Louis XIV reconnaissait également son devoir de prendre conseil avant d'agir. Le souverain absolu devait être juste et bon et gouverner d'abord et avant tout pour le bien commun. Si le sujet avait le devoir d'obéir, le roi avait le devoir d'agir moralement.

Parallèlement à cela se développa en Allemagne une école de pensée, appelée école camérale, qui s'intéressait d'abord aux résultats de l'action gouvernementale plutôt qu'à la forme du gouvernement. Le but recherché par les régimes politiques allemands à partir de la deuxième moitié du XVIIe siècle était d'augmenter les recettes fiscales de l'État. Or, on posa rapidement qu'un peuple heureux produisait plus qu'une population malheureuse. Il fallait donc s'efforcer de rendre les sujets enclins à produire davantage. Ce fut l'objectif de ceux que l'on appela les despotes éclairés. Inspirés par les grands philosophes du XVIIIe siècle avec qui ils étaient d'ailleurs en étroite relation, les princes allemands, autrichiens ou russes gouvernaient autoritairement tout en s'efforçant de respecter les libertés privées et de travailler en faveur du bien public. Toutefois, les réformes introduites étaient loin d'être toutes motivées par des préoccupations morales ou sociales ; les despotes éclairés avaient à cœur d'abord et avant tout les ressources de *leur* État.

L'appareil gouvernemental

Le pouvoir des gouvernements s'était accru depuis le Moyen Âge et augmentait toujours aux XVIIe et XVIIIe siècles. L'État s'intéressait maintenant à des domaines où, traditionnellement, il n'avait pas eu son mot à dire. L'appareil grâce auquel il exerçait son autorité devenait plus important et beaucoup plus complexe.

L'armée

Durant la période médiévale, la guerre fut considérée comme l'apanage de la noblesse. Au début de l'époque moderne, certains aristocrates, parfois tout à fait incompétents, avaient tendance à considérer leurs postes militaires comme des privilèges appartenant à leur famille. De plus, ils n'hésitaient pas à user de leur prestige pour s'opposer aux desseins du gouvernement. Un des premiers objectifs des États modernes fut en conséquence de maîtriser la force militaire.

Au milieu du XVIe siècle, trois États seulement pouvaient compter sur une armée permanente : la France, l'Espagne et, dans une moindre mesure, Venise. À la fin du XVIIIe siècle, elle était devenue la norme. Cette évolution fut partiellement le résultat d'une redéfinition de la tactique militaire au tournant des XVIIe et XVIIIe siècles. Au lieu de privilégier de larges formations difficilement manœuvrables, les généraux des Pays-Bas et de la Suède optèrent pour de petites unités polyvalentes, fortement entraînées et très mobiles qui, pour être efficaces, devaient être étroitement encadrées. De plus, de nouvelles armes apparues à la toute fin de la période médiévale, tels les canons et les mousquets, exigeaient de leurs utilisateurs un entraînement régulier. Cela mena notamment à la création de corps d'artilleurs. Dans cette ère de mondialisation, où les colonies et le commerce international jouaient un rôle fondamental, les gouvernements consacraient également beaucoup de moyens au développement de leur marine.

Devenues permanentes, les armées augmentèrent aussi en nombre absolu tout au long des XVIIe et XVIIIe siècles (*voir tableau p. 123*). Celle de Louis XIV comptait 30 000 hommes en 1659, nombre qui passa à 97 000 en 1666 et, en 1710, en plein cœur de la guerre de Succession d'Espagne, à 360 000. Le service militaire obligatoire fut progressivement institué, d'abord en France et en Espagne, puis en Russie et en Prusse. Les recrues, largement disposées à déserter, étaient tenues au pas grâce à une discipline draconienne. Quant aux officiers, on se rendit compte également de la nécessité de bien les former. La première école de cadets vit le jour au Piémont en 1677. Cet exemple fut suivi par la Prusse (1717), la Russie (1731) et la France (1751).

Les forces militaires étaient évidemment essentielles au pouvoir de l'État. Non seulement elles combattaient les ennemis extérieurs mais, à une époque où il n'existait pas de police digne de ce nom, elles étaient déployées dès qu'un problème intérieur éclatait. Plus encore, elles favorisèrent le développement économique des nations. Ces troupes devaient être approvisionnées en munitions, en uniformes, en équipements de toutes sortes. Les manufacturiers, dépendants des commandes des gouvernements, en vinrent naturellement à les soutenir envers et contre tout. L'absence de bourgeoisie dans certains pays d'Europe de l'Est amena les gouvernements à prendre en mains leur économie nationale. Pierre Ier de Russie établit ainsi près de 200 usines chargées de ravitailler son armée. Finalement, ces grands rassemblements d'hommes et d'équipements devaient être gérés par des administrateurs civils compétents, issus du pouvoir central. Leur travail renforçait l'efficacité globale de la fonction publique. La noblesse restait néanmoins en charge de l'armée sur le terrain : en 1739, sur les 250 officiers supérieurs de l'armée prussienne, seulement 11 n'étaient pas d'origine noble.

Les finances publiques

La mise sur pied d'une telle force militaire nécessitait des ressources monétaires importantes. Or, les États de l'Europe moderne avaient de la difficulté à trouver les sommes leur permettant d'assumer leurs dépenses. Les gouvernements exploitaient le plus possible leurs colonies, s'endettaient ou s'efforçaient de créer un système fiscal susceptible de leur procurer bon an mal an une certaine stabilité financière. Toutefois, un endettement public permanent devint un impératif pour toute puissance engagée dans des opérations militaires.

Dans une société basée d'abord et avant tout sur les privilèges et l'inégalité devant la loi, les membres de l'élite refusaient de payer les impôts directs. Le poids de ces derniers fut surtout supporté par les roturiers vivant dans les campagnes, car ils formaient le groupe le plus faible, politiquement et économiquement, et le moins bien organisé. En cas de besoin, ils devenaient les cibles privilégiées pour accroître les revenus de l'État. Dans une France aux prises avec la guerre de Trente Ans, la charge fiscale reposant principalement sur les paysans doubla deux fois entre 1620 et 1640.

Mais encore fallait-il pouvoir récolter les taxes et impôts, ce que l'appareil d'État était généralement incapable de faire. Les gouvernements affermaient donc le soin de lever les impôts : des financiers, que l'on appelait des fermiers de l'impôt, payaient au gouvernement le droit de lever certaines sommes particulières et recevaient en échange la possibilité de réaliser un profit dans l'opération. Mais les revenus engrangés par ces collecteurs furent perçus à la longue comme des pertes pour les gouvernements, qui s'efforcèrent de récupérer complètement ces champs d'activité. En Angleterre, cette pratique fut abandonnée durant le dernier tiers du XVIIe siècle.

La fiscalité, mal gérée, ne pouvait à elle seule garantir aux États les sommes nécessaires à leurs activités. Les gouvernements étaient contraints à s'endetter chroniquement. Les XVIIe et XVIIIe siècles ont vu de nouvelles structures de crédit public faire leur apparition et se répandre. Dans certains pays tels la France, l'Espagne, l'Autriche et l'Angleterre, les principaux intermédiaires entre l'État et le capital n'étaient pas les institutions bancaires, mais de grands financiers qui empruntaient aux classes aisées l'argent qu'ils prêtaient ensuite à la couronne. Toutefois, de plus en plus, on mit en place des banques privées ou publiques auxquelles on confiait la gestion de la dette publique. La première véritable banque d'État vit le jour en Angleterre en 1694.

Pour les gouvernements en mal de liquidités, la création d'institutions financières centrales habilitées à émettre des billets s'avéra très intéressante. Seulement voilà, les mécanismes régulateurs de la monnaie n'étaient pas encore connus et plusieurs nations tombèrent dans le piège de l'émission de trop fortes quantités de papier-monnaie, qui se dévalua en détruisant la confiance du public. Tel fut le sort réservé à la Banque générale mise sur pied en France par John Law en 1720 et aux banques centrales de la Suède et du Danemark en 1745 et 1757. Les gouvernements devaient donc s'efforcer d'instaurer un équilibre entre leurs ressources fiscales et le crédit public, ce qui n'allait pas sans mal. C'est ainsi que les gouvernements français s'appliquèrent à imposer les nobles, propriétaires des plus grandes fortunes du royaume. Ceux-ci furent frappés d'une taxe annuelle de 5 % sur leurs revenus fonciers à partir de 1749. Toutefois, en pratique, il leur était toujours possible de passer à travers les mailles du filet fiscal.

La justice et la police

Si la guerre et les activités militaires prenaient de plus en plus de place dans le budget de l'État, il n'en restait pas moins que le premier devoir de tout gouvernement était de faire respecter la justice sur le territoire soumis à son autorité. Les rois de France s'y engageaient d'ailleurs formellement lors de leur sacre. Depuis des années, les gouvernements s'efforçaient de prendre en charge ce volet crucial de leurs responsabilités. Les anciennes juridictions qui échappaient en partie au contrôle des souverains, parce que bien souvent dans les mains des seigneurs locaux, étaient remplacées par de nouvelles, censément plus efficaces. De tels efforts étaient toutefois souvent sapés par la piètre qualité des juges, avec leurs préjugés religieux ou sociaux. Issus de l'élite, ceux-ci voyaient notamment dans la pauvreté un danger pour l'ordre moral et l'ordre social. Le travail forcé devait donner une nouvelle fierté aux plus pauvres tout en protégeant la société. Les pays méditerranéens les envoyèrent ramer dans leurs galères, alors que les puissances coloniales les déportaient vers leurs colonies. Tout cela témoigne de la sécularisation de la société moderne, dès lors que les autorités publiques commencèrent à s'occuper à leur manière du problème de la pauvreté, en lieu et place des institutions religieuses.

Les États européens ne pouvaient compter sur une force policière établie pour arrêter les criminels. La plupart des villes dépendaient, en matière de sécurité publique, d'une milice formée de bourgeois bien peu enclins à patrouiller les rues sombres de la municipalité à la nuit tombée. Londres ne comptait que 3 000 policiers non armés, la plupart travaillant à temps partiel et n'exerçant leur autorité que sur une petite portion du territoire municipal. Paris s'était dotée de son premier lieutenant de police en mars 1667, et cette institution fut étendue à l'ensemble du royaume en 1699. Mais les forces de police n'eurent que peu d'impact dans les petites villes et, surtout, les campagnes : l'ensemble de la Bretagne était placé sous la surveillance de 250 policiers. D'où le besoin de compter sur une police secrète, composée d'espions et d'informateurs souvent issus des couches les plus basses de la société, pour prévenir les problèmes sociaux.

Bureaucratisation et centralisation

Les ambitions de l'État augmentant, il n'était que normal qu'il essaye de centraliser les structures traditionnelles de l'autorité et de l'administration. Il atteignit son objectif en contournant les anciennes sources de pouvoir. Dans les royaumes divisés en provinces, il fallait en évincer les gouverneurs, issus généralement de grandes familles aristocrates locales, ce que l'on accomplit en les transférant d'une province à l'autre. Ces individus, qui se succédaient souvent de père en fils, s'étaient bâti au fil des générations des réseaux de clientèles qui faisaient en sorte que les petits nobles obéissaient davantage au gouverneur de la région qu'au roi. Les membres des institutions provinciales étaient également souvent des clients du gouverneur. En les nommant à la tête d'une province différente, le pouvoir central privait les gouverneurs de leurs appuis locaux.

En France, puis en Espagne, les intendants jouèrent un rôle déterminant dans le processus de centralisation du pouvoir. Étant nommés de façon provisoire pour effectuer une tâche spécifique dans une région donnée, ils étaient dépendants de la bonne volonté du roi, qui pouvait mettre fin à leur mission quand il le voulait. Ils avaient donc tout intérêt à accomplir ce que l'on attendait d'eux. Le gouvernement central les contrôlait, alors que la plupart des officiers permanents de l'État jouissaient d'une certaine liberté par rapport à l'autorité royale. En effet, selon le système de la vénalité des offices, le détenteur d'une charge publique en était le propriétaire et pouvait en disposer à sa guise pour peu qu'il payât un impôt annuel. La loyauté des intendants allait d'abord au souverain qui les nommait plutôt qu'à la province où ils œuvraient.

Le gouvernement, après avoir repris en main l'administration provinciale, devait devenir lui-même plus efficace. La gestion quotidienne des affaires était souvent basée sur une multitude de conseils parallèles qu'il fallait convoquer et consulter avant toute prise de décision. Il en résultait une administration lente, inefficace, confuse et une autorité éparpillée, faible et parfois contradictoire. La nécessité de tenir compte des réalités provinciales et de consulter les anciennes institutions dans les régions compliquait davantage le travail. Louis XIV changea cette façon de faire en plaçant son administration sous le contrôle de quatre ministres, appelés secrétaires d'État, qui avaient chacun son domaine de responsabilités (guerre, affaires étrangères, marine, affaires religieuses) ainsi que la charge de certaines provinces. Alors que ses prédécesseurs avaient l'habitude de se promener continuellement d'un château à l'autre, le Roi-Soleil fixa son gouvernement à Versailles à partir de 1685. Le XVIIe siècle vit les États se doter de capitales permanentes.

Mais le système gouvernemental qui allait être le plus souvent copié était celui de la Suède. Ce royaume, au début du XVIIIe siècle, était reconnu comme l'un des plus puissants États d'Europe, et il ne faut pas se surprendre de constater que la plupart de ses voisins essayèrent de l'imiter à bien des égards. Là, les différentes branches de l'administration se retrouvaient sous la gouverne d'organes appelés collèges, pendant qu'un Conseil du royaume, ou Sénat, composé de grands magnats surveillait leurs travaux. Ce modèle fut suivi par Pierre le Grand lorsqu'il changea l'administration de la Russie. La Prusse à partir de 1723 et l'Autriche durant la deuxième moitié du XVIIIe siècle réorganisèrent aussi leur gouvernement à partir de l'exemple suédois.

Nul, sauf de rares exceptions, ne remettait en cause l'autorité et la légitimité des rois. Toutefois, l'Europe des XVIIe et XVIIIe siècles fut secouée par toute une série de révoltes nobiliaires ou paysannes, surtout dans les années 1600, qui témoignaient de l'inquiétude des uns et des autres face à l'expansion de l'État. Du milieu du XVe siècle au milieu du XVIIe siècle, le continent fut ébranlé périodiquement par des révoltes nobiliaires découlant de préoccupations politiques ou religieuses. Ces révoltes connurent leur apogée dans la décennie 1640-1650, lorsque la France, l'Angleterre, l'Espagne, le Portugal, Naples et la Sicile furent aux prises avec des soulèvements dans lesquels les nobles jouèrent le rôle moteur. Le renforcement des armées royales rendit par la suite hasardeux de tels mouvements. De plus, le « dérapage » de la rébellion anglaise, d'abord soutenue par la noblesse avant de terminer par l'exécution de Charles II, provoqua un sentiment de dégoût devant de telles aventures.

Quant au peuple, il se soulevait généralement pour protester contre la pression fiscale. Les révoltes populaires touchèrent l'ensemble des pays d'Europe aux XVIIe et XVIIIe siècles. Même les monarques renommés les plus absolus, tel Louis XIV, durent faire face à de tels mouvements qui pouvaient prendre une grande ampleur. En 1773-1774, un soulèvement mené par le cosaque Iemelian Pougatchev s'étendit sur le cinquième de l'Empire russe. Fait à signaler, jamais on n'assista à une remise en question de l'ordre social et politique établi. Ceux qui prenaient les armes cherchaient d'abord et avant tout à améliorer leurs conditions de vie dans un monde socialement figé. Lorsque le peuple d'une région se levait pour dénoncer l'escalade fiscale provoquée par l'entrée en guerre de la nation, ce n'était pas le conflit lui-même qui était visé par la révolte, mais bien ses conséquences locales.

Les relations internationales

La coexistence de quelque 1 500 États de taille et de puissance diverses et la montée en puissance des gouvernements nationaux ne pouvaient qu'entraîner des conflits entre voisins. Si le XVIIe siècle hérita de tensions léguées par la division religieuse du continent apparue lors de la Renaissance, le XVIIIe siècle fut marqué par les problèmes qu'a engendrés la mondialisation issue des grandes découvertes territoriales de la période précédente et par l'émergence de l'Est européen sur la scène internationale. Les guerres devenant continentales et non plus bipartites, il fallut élaborer de nouvelles structures pour essayer d'y mettre un terme.

Habsbourgs contre Bourbons

Depuis la fin du XVe siècle, une rivalité féroce opposait la France aux Habsbourgs qui régnaient sur l'Espagne et le monde allemand. Au début du XVIIe siècle, la première, gouvernée par la famille des Bourbons depuis 1589, était littéralement entourée de territoires appartenant aux seconds ou dominés par ceux-ci. Le gouvernement français était prêt à tout pour briser un tel étau. Lors de la guerre de Trente Ans, qui dura de 1618 à 1648, et particulièrement lors du conflit ouvert franco-habsbourgeois de 1635-1659, les deux parties firent fi de leur même appartenance religieuse pour se combattre. Ce conflit brisa pour de bon les anciennes solidarités religieuses internationales. Lors de la « journée des

Dupes » du 11 novembre 1630, Louis XIII refusa son soutien à l'empereur allemand contre ses sujets révoltés. Privilégiant la raison d'État à l'idéal international d'unité religieuse, Louis XIII s'engagea à soutenir les puissances protestantes aux prises avec les Habsbourgs. Les différentes guerres menées par Louis XIV au cours de son règne mirent généralement aux prises les deux familles ennemies. Leurs querelles prirent fin en 1714, lorsqu'un petit-fils du Roi-Soleil monta sur le trône d'Espagne, brisant l'encerclement habsbourgeois.

La rivalité franco-habsbourgeoise se concentra principalement sur terre, amenant la France à négliger la création d'une véritable marine de guerre. Louis XIV commença à s'intéresser à la question, mais bien après que la Hollande ou l'Angleterre se furent lancées dans des politiques maritimes offensives. La flotte anglaise allait permettre à cette nation de jouer un rôle politique de premier plan au cours du XVIIIe siècle, notamment en défaisant à maintes reprises des armadas françaises moins bien équipées, moins bien entraînées, moins bien commandées. On peut voir là une des causes qui expliquent les défaites françaises subies aux mains de l'Angleterre tout au long du XVIIIe siècle.

Le problème de l'Est européen

La lutte entre les Bourbons et les Habsbourgs se déroula en bonne partie en Allemagne. De plus en plus, cette partie du continent européen se révéla être un important lieu de tensions. C'est là, à partir de 1517, que le protestantisme connut une expansion. Pour des raisons pas toujours religieuses, de nombreux États allemands adhérèrent à cette nouvelle religion. Or, à cette époque, l'idée de tolérance religieuse n'existait pas. L'Empire germanique devint donc le lieu privilégié où catholiques et protestants allaient se battre l'épée à la main au nom de leur foi respective.

La guerre de Trente Ans, déjà évoquée, eut des conséquences généralement catastrophiques pour le territoire allemand. Des régions furent complètement dépeuplées en raison des abus de la soldatesque et des épidémies qui s'abattirent sur elles. Pendant trente ans, les Allemands virent Espagnols, Danois, Suédois, Autrichiens et Français venir se battre sur leurs terres, dans ce que plusieurs considèrent avoir été le premier conflit paneuropéen. Cette guerre ruineuse, qui se termina par la reconnaissance définitive de la division de la chrétienté en deux entités, profita cependant à certains États épargnés par les combats. Ce fut le cas particulièrement de la Prusse. Relativement peu touchée par le conflit, elle amorça une politique offensive qui l'amena, deux siècles plus tard, à unifier sous sa houlette le territoire allemand. Son principal adversaire fut l'Autriche qui, elle aussi, avait des velléités unificatrices pour l'ensemble du monde germanique.

Le XVIIIe siècle fut marqué par plusieurs guerres entre les deux États, notamment en vue de la domination sur la province autrichienne de Silésie que convoitaient les Prussiens. Ces derniers avaient un territoire dépourvu de matières premières, alors que la Silésie en regorgeait. En menant les guerres de Succession d'Autriche (1740-1748) et de Sept Ans (1756-1763), Frédéric II de Prusse réussit à mettre à mal son voisin autrichien. Il n'hésita pas à prendre alors des décisions audacieuses. Traditionnellement alliée à la France contre l'Autriche et l'Angleterre, la Prusse, dans ce que l'on appelle la « révolution diplomatique de 1756 », abandonna l'alliance française pour unir sa destinée avec celle des Anglais. Mais Prussiens et Autrichiens s'entendirent avec une troisième puissance en émergence dans l'Est européen, la Russie, pour dépecer sans coup férir la Pologne lors des trois partages successifs de 1772, 1791 et 1795.

Les rivalités coloniales

La mer, par suite des grandes découvertes territoriales de la Renaissance, devint progressivement un élément essentiel de la politique internationale. Durant cette période, l'art de la navigation ne cessa de progresser et l'activité maritime fut plus intense que jamais. Le traité d'Utrecht, qui contribua à mettre un terme à la guerre de Succession d'Espagne (1701-1714), révéla bien cette nouvelle importance des relations entre l'Europe et le monde : il comportait de nombreuses clauses se rapportant aux colonies et au commerce extérieur. La politique dynastique traditionnelle, symbolisée par des espoirs d'annexions sur le continent, se doubla désormais de préoccupations plus larges, surtout de la part de l'Angleterre.

Les rivalités coloniales se concrétisèrent principalement dans l'océan Indien et dans le monde américain ; il n'y eut, à cette époque, aucune tentative d'implantation effective en Afrique, sauf peut-être à la pointe sud de ce continent où s'installèrent des protestants hollandais, convaincus de former une race élue de Dieu. Inutile de préciser que les Noirs ne faisaient pas partie de cette « race élue ». Quant au monde asiatique, les Européens s'y heurtèrent aux empires chinois et japonais, imperméables tous deux aux entreprises coloniales.

Les conflits coloniaux opposèrent particulièrement la France à l'Angleterre et eurent pour cadre l'Amérique du Nord et l'océan Indien. Le traité d'Utrecht avait permis aux Anglais d'élargir leur champ d'action au détriment des Français dans la première de ces deux régions, puisque l'Acadie, la baie d'Hudson et Terre-Neuve leur furent cédées. La rivalité était géopolitique et, surtout, commerciale. La concurrence acharnée qui opposait marchands et trafiquants des deux pays eut des répercussions néfastes dans les relations entre les deux métropoles. La même situation se retrouvait en Inde. Les divisions internes qui minaient cette région du globe avaient permis aux deux puissances concurrentes de s'immiscer dans les affaires intérieures de la région. L'Angleterre, implantée à Madras, Bombay et Calcutta, exploitait les marchés grâce à la East India Company. La Compagnie française des Indes œuvrait à partir des comptoirs de Mahé, Chandernagor et Pondichéry ; dans ce dernier comptoir se retrouvaient près de 50 000 colons, soit à peu près autant que dans toute la Nouvelle-France.

À la fin des années 1740 et au début des années 1750, le gouverneur de Chandernagor, Joseph François Dupleix, réussit à étendre l'emprise de la Compagnie française sur l'ensemble de l'Inde péninsulaire, à l'exception de l'extrême sud et de la côte ouest. Toutefois, la guerre de Sept Ans mit un terme au premier empire colonial français. Le traité de Paris de 1763 confirma les ambitions de l'Angleterre, alors que sa rivale perdit la grande majorité de ses possessions territoriales, dont la Nouvelle-France.

Diplomatie et paix

Le but premier d'une guerre est toujours d'arriver à une nouvelle paix. Pour rétablir un équilibre politique, religieux et économique convenable pour tous, la négociation est essentielle. Depuis le XVIe siècle, les discussions liées à cette négociation étaient assurées par des agents officiels du pouvoir, à savoir les diplomates. Les contacts personnels entre souverains devinrent plus rares, sans disparaître complètement. Durant son règne de 72 ans, Louis XIV ne rencontra aucun chef d'État en exercice. Toutefois, les relations internationales continuèrent à être sous la supervision directe des monarques ; elles représentaient une de leurs prérogatives les plus importantes.

La paix désirée ne pouvait se conclure que par des échanges entre les nations en guerre. D'abord tenues secrètes, les ouvertures devenaient publiques dès qu'un espoir concret de solution germait dans l'esprit des participants. Un congrès était alors convoqué où se réunissaient des représentants des États impliqués dans le conflit. Les guerres étant devenues de plus en plus internationales, les congrès étaient extrêmement complexes. Par exemple, les négociations antérieures à la paix de Westphalie de 1648 durèrent plus de cinq ans. Les 179 négociateurs, dont une moitié de juristes, cherchaient à établir un nouvel équilibre européen entre les quatre grandes puissances du temps : la France, l'Espagne, l'Angleterre et l'Autriche.

Le caractère de plus en plus international de la guerre amena des penseurs à élaborer des règles de conduite universelles en la matière, un système de droit international. Ce fut le cas du Hollandais Hugo Grotius, généralement considéré comme le père de ce mouvement, qui publia en 1625 le *De jure belli ac pacis* (Du droit de la guerre et de la paix). D'autres auteurs, tels William Penn ou l'abbé de Saint-Pierre, proposèrent même la mise sur pied d'institutions internationales chargées de préserver la paix sur l'ensemble du continent. Idées utopistes pour l'époque : à la recherche de la caractéristique commune pouvant unir les hommes de différentes époques et de différentes parties du monde, Voltaire ne conclut-il pas dans son *Essai sur les mœurs et l'esprit des nations* (1756) qu'elle résidait dans leur capacité d'autodestruction ?

CHAPITRE II

Les mondes ruraux

Une immense majorité de la population du continent, soit plus de 85 % des Européens, vivait à l'extérieur des villes et survivait grâce à une activité liée de près à la terre. Les techniques agricoles étaient primitives dans l'ensemble. Les paysans n'avaient que bien peu d'emprise sur une production soumise à l'arbitraire seigneurial, aux aléas climatiques, au déferlement de maladies épidémiques ou aux ravages de la guerre. Malgré tout, la modernité envahit tranquillement une partie de cet univers, pendant que l'économie agricole subit peu à peu les pressions capitalistes. Les anciennes solidarités paysannes en furent les premières victimes.

Les sociétés villageoises

La terre était la ressource la plus importante dans l'ensemble de l'Europe des XVIIe et XVIIIe siècles. Elle conférait richesse, pouvoir et prestige à ceux qui la possédaient. Cela étant dit, on retrouvait entre l'Ouest et l'Est européens des différences dans le rapport liant les hommes à la terre.

Les normes d'une société plus large

Le village moderne, tout comme la société élargie qui l'entourait, était dominé par la noblesse. Dans les années 1630, les quelque 60 pairs anglais — les plus importants aristocrates du royaume — possédaient 25 % du territoire national. Ces propriétaires s'intéressaient à leurs domaines et étaient des membres actifs de la société villageoise. Le seigneur local disait bien souvent son mot sur la gestion de ses avoirs, la discipline de ses paysans et serviteurs, la vie même du village. Sa place était réservée à l'église et il participait assez régulièrement aux différentes festivités qui rythmaient la vie de la communauté. Bien que nourrie de littérature chevaleresque et amenée par son rôle social officiel à embrasser la carrière militaire, la majorité des nobles français ne s'était jamais approchée d'un champ de bataille et menait une vie bien tranquille dans ses résidences de campagne.

Les plus grandes familles dépensaient des fortunes dans la construction de châteaux fastueux. Loin d'être des forteresses ayant une fonction militaire comme au Moyen Âge, les résidences de campagne devenaient des endroits confortables où on pouvait se retirer si on voulait fuir pour un temps la pression de la vie de cour. Le château sur lequel, jadis, venait se greffer le village devint un espace privé entouré de vastes jardins qui isolaient son propriétaire du peuple. La mode des parcs s'instaura.

Les nobles n'étaient pas les seuls propriétaires fonciers. De plus en plus de bourgeois, issus des milieux juridiques ou commerciaux, investissaient dans l'achat de propriétés. Leurs acquisitions étaient motivées par le désir de bien paraître, d'une part, mais également par l'espoir de rentabiliser une terre bien exploitée. Pour les petits paysans, la terre demeurait d'abord et avant tout une source de subsistance : ils la cultivaient simplement pour avoir de quoi se nourrir, de quoi survivre. Lorsque l'argent leur faisait défaut, ils devaient se départir de leur patrimoine au profit de paysans plus riches ou d'individus provenant de l'extérieur de la communauté villageoise.

La concentration de la terre dans les mains de grands propriétaires fonciers fut l'une des transformations importantes que subit la campagne aux XVIIe et XVIIIe siècles. Alors qu'au Moyen Âge la propriété se concrétisait par l'exercice effectif de pouvoirs judiciaires ou policiers sur les individus qui y habitaient, l'époque moderne la perçut de plus en plus comme une entité économique. L'écart entre les plus pauvres et les plus riches ne cessa de se creuser dans les campagnes. Ainsi, tout en restant soumise aux normes de la société d'ordres, les communautés villageoises vivaient concrètement les débuts de la société de classes. L'essor de l'économie de marché allait infléchir profondément la vie rurale, surtout dans l'ouest de l'Europe.

Un monde mobile à l'ouest

Des différences importantes existaient entre les conditions de vie des paysans de l'Ouest et celles des paysans de l'Est européens. À l'époque moderne, la plupart des paysans de l'Ouest étaient locataires d'une terre. Jusqu'au XVIe siècle, les grands propriétaires terriens privilégiaient l'octroi de terres à des censitaires : contre la cession à long terme de la terre, le paysan payait une rente fixe au seigneur. Afin de profiter des possibilités de l'économie de marché, les seigneurs optèrent de plus en plus pour la location à moyen terme — généralement neuf ans — de leurs terres. La mainmise féodale était ainsi remplacée par la propriété capitaliste. Celle-ci libérait les propriétaires des entraves associées aux anciennes pratiques tout en fournissant au locataire des possibilités d'exploiter plus à fond la propriété et ainsi, s'il s'y prenait bien, de s'enrichir. Les paysans qui détenaient des terres à bail pouvaient en louer une partie à de plus pauvres qu'eux, favorisant ainsi l'émergence de classes sociales à l'intérieur même de la paysannerie.

La prospérité des riches paysans, sur qui retombaient naturellement les responsabilités politiques de la communauté, se voyait dans leurs maisons remodelées, leurs beaux habits, leur mobilier plus riche, leurs services de table plus raffinés. La nouvelle demande pour ces biens incita des individus vivant dans le village à les fournir. Une classe d'artisans se forma donc au cours du XVIIe siècle, et certains de ses membres se retrouvèrent parmi les villageois les plus riches au début du XVIIIe. Leur existence atteste une division du travail progressive au sein des campagnes et la pénétration d'une économie basée non plus sur la subsistance, mais sur la force du marché. Une autre conséquence de ce mouvement fut la monétarisation progressive du monde rural, le liant encore plus étroitement à l'économie environnante. Ainsi, les prix des grains locaux fluctuaient maintenant en fonction de marchés lointains sur lesquels les villageois n'avaient aucune influence. Toutefois, des crises ponctuelles pouvaient avoir également une incidence sur ces prix.

Les grands domaines de l'Est européen

En général, la situation des paysans empirait à mesure qu'on se dirigeait vers l'est, spécialement au-delà de l'Elbe. En 1660, la moitié environ des paysans européens étaient des serfs, c'est-à-dire qu'ils étaient héréditairement rattachés à une terre qu'ils ne pouvaient quitter à leur gré. Ils se retrouvaient pour la plupart dans l'est du continent, ne pouvaient se déplacer librement, se marier à leur guise, travailler sans l'accord de leur maître. Ils se trouvaient sous la juridiction de ce dernier et lui devaient différents services en argent, en nature ou en travail. Dans les États des Habsbourgs, au début du XVIIIe siècle, les serfs devaient environ trois jours de travail par semaine à leurs maîtres ; en Hongrie et en Pologne, la norme était souvent de quatre journées de travail obligatoires. Les seigneurs locaux, membres de la noblesse ou de l'Église car la bourgeoisie était virtuellement absente de l'Est européen, profitaient de la faiblesse de l'État dans ces régions pour contrôler plus efficacement l'administration et la justice locale et accentuaient ainsi leur emprise sur les serfs.

Le servage était particulièrement dur en Russie. Là, les plus riches propriétaires pouvaient exercer leur domination sur 1 000 à 3 000 familles, les plus pauvres sur 5 ou 6. La moitié des paysans russes appartenaient aux nobles, le quart à l'Église et le cinquième à l'État. Le reste était sous la dépendance de groupes divers. Le servage personnel existait en Russie : le serf était non pas attaché à une terre, mais à un seigneur qui pouvait en disposer comme bon lui semblait.

Nombreux étaient les individus qui tentaient d'échapper à ce sort en s'enfuyant. Quelques tentatives furent entreprises pour améliorer leur situation. Par exemple, un décret russe de 1721 interdit la vente individuelle de paysans qui provoquait la rupture des familles. Si, dans ce royaume, la condition des serfs ne s'améliora pas avant le XIXe siècle, ailleurs, des mesures concrètes furent adoptées pour mettre un terme au servage. Les despotes éclairés commencèrent à leur accorder plus de liberté. Les souverains ne tiraient rien du travail accompli par les serfs pour leurs maîtres. En les libérant de leurs attaches, les monarques étaient en mesure d'imposer à leur guise ces nouveaux hommes libres. Le processus de libéralisation fut long, l'opposition des propriétaires de serfs le freinant considérablement.

La communauté paysanne

Les progrès notables que connurent à certains égards les campagnes européennes au cours des XVIIe et XVIIIe siècles ne peuvent cacher la fragilité du monde rural tout au long de cette période. Les Européens vivaient dans un monde qu'ils ne comprenaient pas, qu'ils ne dominaient pas, un monde angoissant.

Un univers angoissant

Les peurs qui assaillaient une fraction importante de la population européenne étaient de diverses natures. Les unes étaient permanentes et reflétaient l'absence de connaissances de l'époque, le faible niveau technique atteint par la population et les représentations mentales liées à ces deux états. On croyait ainsi aux revenants, aux signes que l'on pouvait retrouver dans les étoiles et qui étaient généralement annonciateurs de calamités — ce n'est qu'à la fin du XVIIe siècle qu'Isaac Newton démontra que l'apparition des comètes était un phénomène naturel. Les autres peurs étaient davantage cycliques et revenaient périodiquement avec les disettes, les épidémies, les augmentations d'impôts et les passages de gens de guerre.

Les Européens vivaient dans un univers très fragile et dans l'angoisse constante de calamités à venir. Soumise aux aléas du climat contre lesquels on ne pouvait rien, la terre d'Europe n'arrivait que difficilement à nourrir l'ensemble des populations. Une baisse d'un degré de la température moyenne pouvait raccourcir la période des cultures de trois à quatre semaines. La famine n'était jamais loin. L'alimentation était essentiellement à base de céréales. Les laitages, les desserts et surtout la viande étaient l'apanage des riches. Dans les campagnes, les animaux étaient élevés pour leur force de travail et n'étaient abattus que lorsque leur utilité était chose du passé. Un tel régime provoquait la malnutrition et des déficiences vitaminiques généralisées.

Le manque d'hygiène, l'absence de produit de conservation outre le sel, la consommation d'une eau pas toujours potable, tout cela donnait un caractère endémique à des maux telles la dysenterie ou la diarrhée. Les corps affaiblis devenaient des proies faciles pour les maladies, épidémiques ou non. La moitié des bébés naissants ne parvenaient pas à l'âge adulte. La peste continua à décimer régulièrement les populations européennes à cette époque : elle frappa l'Espagne pour la dernière fois en 1685, l'Autriche en 1713, la France en 1720 et l'Italie en 1743. La médecine du temps était impuissante devant ces maux.

Outre la faim et les maladies, les variations climatiques, notamment le froid, menaçaient l'ensemble de la population. Ce phénomène du froid explique en partie la coutume des veillées où tout le monde se réunissait pour se réchauffer, souvent près des bêtes. Le paysan moyen vivait dans une petite maison de bois. On y retrouvait une ou deux pièces, cadre de vie de la famille, entrepôt pour ses maigres ressources et également étable pour ses animaux. Le sol en terre battue était souvent boueux et jonché des déjections des animaux en liberté. Les murs épais et la fenestration réduite servaient à garder un maximum de chaleur à l'intérieur du logis. L'ensemble offrait des conditions hygiéniques déplorables.

Mais la grande peur de l'époque était de ne pas mourir chrétiennement. En lutte continuelle pour assurer sa survie, le paysan ne pouvait pas vraiment espérer améliorer sa situation temporelle. Ses espoirs de mieux se tournaient donc vers son destin spirituel : entrer au Paradis à la fin de ses jours. Pour y parvenir, il ne pouvait mourir en état de péché. Or, bien des dangers le menaçaient et il n'était jamais à l'abri d'une mort brutale qui, le privant des secours de la religion, risquait de l'envoyer irrémédiablement en Enfer. Les bêtes sauvages, les bandits en maraude, les mendiants, les étrangers et surtout les soldats représentaient autant de menaces contre lesquelles les habitants des campagnes avaient bien peu de défenses, sinon la prière. On se promenait avec des images pieuses dans les poches pour se protéger contre ces attaques qui, selon les ecclésiastiques, étaient en bonne partie fomentées par le Diable.

Satan était capable de provoquer bien des maux. Aidé notamment des sorcières, il menaçait jour et nuit le salut des hommes. Les XVIe, XVIIe et XVIIIe siècles furent l'époque de la grande chasse aux sorcières en Europe. Durant cette période, 100 000 personnes furent accusées de sorcellerie. De ce nombre, 60 000 furent exécutées. La plupart des Européens croyaient que les sorcières avaient conclu un pacte avec le Diable au cours d'une cérémonie durant laquelle ce dernier apparaissait sous les traits d'un beau jeune homme. Là, en retour d'avantages matériels ou de plaisirs sexuels, la sorcière reniait sa foi chrétienne. Comme signe de ralliement, le Diable tatouait sur elle un signe distinctif dans un endroit intime.

Dans l'ensemble du continent, 75 % des individus arrêtés pour sorcellerie furent des femmes. Cette proportion atteignit 90 % dans certaines régions. La femme était considérée moralement plus faible que l'homme et donc plus susceptible de succomber à l'appel du Diable. Cette faiblesse, pensait-on, était liée non seulement à son infériorité intellectuelle et à sa propension à croire toutes les superstitions, mais aussi à son appétit sexuel. Selon les ecclésiastiques — des hommes qui devaient prêter serment de chasteté et croyaient que la gent féminine représentait le Diable tentateur — toute la sorcellerie venait du désir sexuel qui, chez la femme, était jugé insatiable. Les veuves, expérimentées sexuellement, représentaient le danger le plus menaçant. De plus, les cuisinières, guérisseuses et sages-femmes avaient une foule d'occasions de pratiquer de la magie inoffensive, de connaître les herbes de la forêt. De telles occupations les exposaient à des accusations de sorcellerie.

L'espace et le temps villageois

L'angoisse présente dans les campagnes pouvait être combattue grâce aux multiples liens familiaux et sociaux tissés par les paysans. La population trouvait également une relative stabilité en s'imprégnant d'une vision du monde qui lui permettait de comprendre son univers et d'en assimiler les dangers. Cette vision était basée sur une perception du temps, de l'espace et de leurs rythmes.

L'espace villageois était assez net. Articulé autour de l'église paroissiale, son caractère bien défini aidait à renforcer la solidarité entre les habitants. Rares étaient ceux qui quittaient définitivement la communauté. Les conjoints étaient issus du même village ou, le cas échéant, de paroisses contiguës, ce qui consolidait davantage l'union entre les habitants. Le temps était quant à lui plus imprécis. C'était le règne de l'à-peu-près, où les villageois trouvaient les repères dont ils avaient besoin dans la trajectoire du soleil ou le carillon des cloches de l'église qui sonnaient matines, nones et vêpres. L'absence de règles sociales contraignantes, comme la scolarisation obligatoire ou la retraite, faisait en sorte qu'il n'était pas nécessaire de connaître l'âge des individus. Les phénomènes naturels et le cycle des saisons et des fêtes qui revenaient aux quatre à six semaines permettaient aux villageois de se situer dans le temps à plus long terme. Tout ce qui comptait vraiment, c'était le repos du dimanche et les fêtes religieuses indiquées par l'Église.

Famille et communauté

La famille constituait un cadre indispensable dans cette société marquée par la faim, les peurs et la violence. Tous ses membres, même les jeunes enfants, devaient participer à la vie économique, ne fût-ce qu'en cueillant de petits fruits. La vie rurale ayant été fondamentalement collective, vivre seul y était difficile. Puisque le mariage signifiait la création d'une unité de production économique, on attendait généralement la mort du père pour convoler.

Le mariage était le phénomène régulateur et stabilisateur le plus important de la société rurale. Il était encadré par des règles ecclésiastiques, gouvernementales, familiales et sociales. Bien que les interdits ne fussent pas toujours respectés, l'Église catholique condamnait les rapports sexuels hors mariage. Ceux-ci étaient également défendus durant les quarante jours précédant Noël et Pâques. Le mariage était le meilleur moyen de contrôler le rythme des naissances : plus on se mariait tardivement, moins il y avait d'enfants. L'âge du mariage variait donc en fonction de la conjoncture économique et sociale. En moyenne, aux XVIIe et XVIIIe siècle, les garçons se mettaient la bague au doigt vers 27-28 ans, les filles vers 25-26 ans.

Si la famille représentait la première institution permettant au campagnard de faire face au monde qui l'entourait, la communauté élargie des villageois constituait la seconde. En effet, les Européens des campagnes nourrissaient une mentalité qui accordait énormément d'importance à la solidarité et au consensus. L'enchevêtrement des terres exigeait qu'on les cultive simultanément. Tout le monde devait faire pousser le même produit au même moment. Puisque de nombreux paysans étaient trop pauvres pour se procurer les moyens nécessaires à la culture de leur terre, notamment les animaux de labour, ceux-ci étaient souvent propriété collective. De plus, les villageois pouvaient profiter de terres communes, qui servaient généralement au pâturage, et de bois communs, où ils pouvaient aller chercher de quoi alimenter leurs feux.

La gestion de ce patrimoine commun était assurée par une assemblée regroupant tous les habitants de la paroisse. Tout s'y décidait à la pluralité des voix. En théorie, tous les chefs de famille avaient le droit de prendre la parole lors d'une telle assemblée. En pratique, les plus pauvres s'y faisaient discrets. Le véritable pouvoir revenait aux plus riches. Si, dans l'Est européen, les relations entre individus étaient davantage verticales, c'est-à-dire entre les paysans et leurs seigneurs, la sociabilité villageoise constituait un des caractères essentiels de la vie rurale dans l'ouest du continent. Toutefois, en s'ouvrant à un capitalisme accordant plus d'importance aux initiatives individuelles, le monde rural s'attaqua ainsi aux anciennes pratiques communautaires et perdit, en quelque sorte, une partie de son âme.

Les faiblesses de l'économie agricole

Si on regarde la situation de l'agriculture européenne dans son ensemble, on se rend compte qu'elle était, sauf quelques exceptions notables, aussi primitive en 1600 qu'en 1200. L'agriculture souffrait de faiblesses structurelles et de techniques inadéquates qui condamnaient les ruraux à une économie de subsistance.

La première faiblesse de l'agriculture se retrouvait dans la terre elle-même. Les rendements agricoles étaient extrêmement faibles. Le problème résultait du manque d'engrais à la disposition des paysans. Il n'y avait pas assez de bêtes pour assurer un approvisionnement suffisant en fertilisants. Produits par des animaux affaiblis, ces fertilisants étaient d'une qualité qui laissait également à désirer. La mauvaise qualité du bétail représentait une deuxième faiblesse importante de l'économie agricole. Une bête de labour coûtait très cher et n'était pas à la portée du premier paysan venu. Un paysan préférait souvent se procurer des animaux de basse-cour. L'élevage sélectif des bestiaux n'existait pas. Les mares artificielles, permettant la croissance d'un gazon plus gras, étaient très rares à l'ouest du continent et virtuellement absentes à l'est. Les animaux, faibles et sous-développés, tiraient la charrue avec peine et ne pouvaient porter que de petites charges. De plus, la nourriture ne suffisait souvent pas à alimenter les bestiaux durant les mois d'hiver. Il fallait donc les tuer à l'automne, ce qui entraînait une perte de fertilisants. Finalement, les animaux étaient, tout comme les humains, sujets aux maladies.

La pauvreté de la terre faisait en sorte qu'un champ ne pouvait être cultivé année après année, sous peine de voir le sol s'épuiser. Il fallait donc opérer une rotation des terres exploitées. Dans le nord de l'Europe et autour du bassin méditerranéen, on ne se servait d'un champ qu'une année sur deux pour produire le blé. Il était laissé en jachère le reste du temps. Dans le centre, l'assolement était triennal. Donc, plus du tiers des terres du continent demeuraient inexploitées annuellement. Cette importante amputation de la surface cultivée obligeait d'autant plus les paysans à consacrer les champs disponibles aux cultures de subsistance. De la sorte, ces paysans étaient forcés de réduire les pâtures, ce qui entraînait une raréfaction du fumier. La jachère en était rendue encore plus indispensable.

À ces faiblesses structurelles importantes s'ajoutait l'emploi de techniques primitives qui empêchaient le paysan de tirer le maximum de sa terre. Ainsi, les grains étaient encore semés à la volée et se retrouvaient exposés aux vents et à la vue des oiseaux. On tentait de pallier ce problème en augmentant l'ensemencement, mais on ne pouvait y parvenir qu'en conservant moins de grains pour la consommation personnelle ou la vente au marché. Ni la lourde charrue à soc de fer, employée sur les terres grasses, ni l'araire, utilisé sur les sols plus légers, n'étaient en mesure d'arracher les racines. La terre, retournée à grand-peine, devait souvent être retravaillée trois ou quatre fois. Pour être efficace, la charrue devait être tirée par un attelage nombreux : quatre à six bœufs, deux ou trois chevaux. Peu de paysans pouvaient s'offrir un tel luxe. Les plus riches d'entre eux louaient donc leurs attelages aux plus pauvres, renforçant l'écart qui s'établissait entre ces deux classes de la société paysanne. Sinon, l'on pouvait avoir recours aux bêtes appartenant à la communauté. Lorsque venait le temps des récoltes, la plus grande partie du travail se faisait à la grande faucille plutôt qu'à la faux. Le battage s'effectuait au fléau, instrument qui ne permettait pas d'enlever tous les grains de l'épi, d'où un gaspillage important. Le reste du travail se faisait à l'aide d'instruments de bois, fragiles et peu efficaces.

Finalement, des facteurs sociaux limitaient l'agriculture : l'attitude envers le profit, les règles de succession, la forme des prêts. La religion catholique n'acceptait qu'avec difficulté le principe même du profit, ce qui n'incitait pas ses fidèles à adopter une attitude plus capitaliste. Dans certaines régions d'Europe, la terre, à la mort de son propriétaire, était divisée en parties égales entre les héritiers, entraînant son fractionnement et la paupérisation de ses nouveaux propriétaires. Enfin, la location de la terre à un paysan pour une période fixe assez courte limitait les efforts de ce dernier pour la faire fructifier. Inutile de préciser qu'un serf, privé de toute liberté, mettait bien peu de cœur à l'ouvrage, ce qui ne pouvait qu'affaiblir les rendements.

Le renouveau agricole

Malgré que ces entraves importantes au développement ne disparurent jamais complètement, le secteur agricole européen connut un certain essor dès le XVIe siècle. En raison de la croissance démographique et de l'inflation, les campagnes s'ouvrirent progressivement à l'économie de marché.

Démographie et prix

Attaquée au XIVe siècle par la peste noire, la population européenne reprit son expansion à la fin du XVe siècle. L'essor se ralentit vers la fin du XVIe siècle pour se terminer vers 1630. Une relance se manifesta vers 1730. En 1800, on pouvait compter environ 187 millions d'Européens. Les pertes provoquées par les épidémies à la fin du Moyen Âge permirent aux survivants de se concentrer sur les terres les plus fertiles. Assurés de pouvoir tirer de l'exploitation agricole leurs moyens de subsistance, en dépit de crises cycliques inévitables, les couples se formèrent plus tôt, ce qui entraîna par le fait même une augmentation de la fécondité, même si la mortalité resta très élevée. Mais l'augmentation de la population provoqua une raréfaction des terres disponibles et une fatigue écologique. Le climat commença à se détériorer, au détriment de la production, et la population se stabilisa progressivement jusque vers les années 1660.

La croissance démographique qui commença alors fut provoquée par une baisse significative de la mortalité. Les décès que l'on pourrait qualifier de normaux continuèrent à être assez fréquents, mais ceux issus des crises épidémiques diminuèrent singulièrement. Le déclin — et même la disparition — des épidémies de peste explique une telle diminution en partie, bien que le typhus, le choléra ou la dysenterie continuaient à faire des ravages. Les gouvernements intervenaient de façon plus efficace pour amoindrir l'impact de ces ravages, pendant qu'une amélioration relative des mesures d'hygiène rendait les corps plus résistants aux assauts de la maladie.

Ces fluctuations démographiques eurent une profonde incidence sur les prix à la consommation, notamment ceux des produits de subsistance. La population augmenta à un rythme plus élevé que la production agricole. Les biens de consommation courante, notamment les céréales, se faisant plus rares sur le marché, les prix se mirent à monter de façon substantielle. L'Europe du XVIe siècle connut sa première vague inflationniste prolongée. Jusqu'à la fin de la période moderne, les prix tendirent à augmenter. De nombreux producteurs virent dans la hausse des prix une occasion rêvée de s'enrichir rapidement. La terre devenait un investissement très intéressant, pour peu que l'on ne se contentât plus du marché local pour écouler ses produits. Il fallait s'intégrer à l'économie de marché.

Un intérêt renouvelé pour l'agriculture

L'augmentation de la population européenne constituait une manne pour qui savait en profiter. En 1650, Paris avait besoin, pour nourrir ses habitants, de trois millions de boisseaux de grain annuellement, qui étaient fournis par toute la moitié nord de la France. Les bestiaux nécessaires à la consommation de viande dans la capitale pouvaient venir d'encore plus loin. Il y avait là de quoi s'enrichir, à condition que le domaine soit bien géré.

Les XVIIe et XVIIIe siècles virent de plus en plus d'auteurs s'intéresser à l'administration des terres agricoles, y voyant une source de richesse pour les États. Les années 1700 produisirent le plus grand nombre d'écrits sur cette question. Certains, tels l'Anglais Jethro Tull, proposèrent des améliorations techniques, comme l'ensemencement en sillons. D'autres, comme l'Autrichien Becher, développèrent l'idée que l'agriculture représentait pour l'État la seule source croissante de revenus imposables. Les physiocrates français de la fin des années 1750 — philosophes menés par François Quesnay qui prônaient un retour à la terre — reprirent cette idée. Puisque la terre était la source de toute nouvelle richesse, il fallait encourager l'agriculture et libérer les marchés de tous les privilèges, impositions ou contrôles à l'exportation qui freinaient son essor.

L'ouverture des campagnes

Si l'ouverture des campagnes au monde capitaliste se fit progressivement, tous les pays d'Europe finirent par ressentir les effets de ce virage capitaliste. Même si les produits de subsistance continuaient, et de loin, à être les plus abondamment exploités, on assista ici et là à l'apparition de produits industriels, tel le lin ou le chanvre. Un peu partout, les paysans se mirent à élever des moutons pour la laine. L'industrie du textile fut la plus importante d'Europe durant toute la période moderne et les ruraux cherchèrent à en profiter. Malgré la prépondérance persistante des céréales classiques — blé, orge, seigle —, les paysans européens cherchèrent à diversifier leur production en introduisant notamment des produits issus du Nouveau Monde, tel le maïs. Produit plus traditionnel, la vigne était aussi en rapide expansion. Elle représentait le principal et le plus répandu de toute une gamme de produits marchands qui, à la différence des céréales, étaient destinés d'abord et avant tout à la vente et non à la consommation familiale du producteur.

L'apparition de produits comme le maïs a

souvent été perçue comme un des signes importants de ce que l'on a appelé la « révolution agricole ». Celle-ci dépendait d'un progrès à réaliser simultanément sur plusieurs fronts à la fois : introduction de ces nouveaux produits, développement des enclosures, augmentation de la demande, redéploiement de la main-d'œuvre, meilleures communications. Elle se serait plus particulièrement manifestée aux Pays-Bas, en Angleterre et, dans une moindre mesure, en Catalogne.

Des révolutions agricoles ?

Les Pays-Bas formaient une petite région fortement urbanisée et riche en moyens de communication. Le capital en provenance des places de marché favorisa les innovations. Le territoire fut relativement épargné par les guerres. Le commerce avec la Baltique procurait aux habitants le blé dont ils avaient besoin. Cela permit aux agriculteurs de se concentrer sur des cultures non axées sur la subsistance, comme les légumes, le lin ou le chanvre, et de consacrer des champs à l'élevage intensif des bovins. Dans ce coin d'Europe, l'agriculture fit appel dès le XVIe siècle à des techniques inconnues ailleurs : les labours étaient profonds, les graines plantées en rangées et le sarclage couramment employé. Cela exigeait beaucoup de main-d'œuvre, que seule une région densément peuplée pouvait fournir. L'omniprésence de l'eau assurait de bons pâturages au bétail.

Dès le XVIe siècle, la région commença à conquérir des territoires sur la mer : les polders. Ces nouvelles terres, riches mais impropres à la culture, furent réservées aux vaches laitières et au bétail. Le problème des fertilisants fut ainsi réglé. Parallèlement, la jachère fut progressivement éliminée. Dans les champs laissés en repos ailleurs, les habitants des Pays-Bas firent pousser des produits bons pour le commerce, tel le lin, ou utilisés pour nourrir les bestiaux, comme le trèfle et le navet, qui enrichissaient la terre fatiguée par la culture céréalière. L'ensemble du territoire agricole devenait donc productif.

En Angleterre, la transformation profonde du secteur agricole commença vers la fin du XVIe siècle et le début du XVIIe. Les locataires des terres, aux prises avec des hausses continuelles de loyers, cherchèrent à diversifier leurs cultures pour faire face à leurs obligations. La proximité d'une ville importante, Londres, fut là aussi décisive. L'Angleterre était un petit royaume et les nombreuses voies maritimes favorisèrent les communications. La surface des terres cultivées augmenta sensiblement grâce à l'importation des techniques de rotation des sols mises au point aux Pays-Bas. Parallèlement, on commença à expérimenter la reproduction sélective du bétail.

L'amélioration de la productivité agricole fut rendue possible en partie par le développement du système des enclosures. Les terres entourées de clôtures étaient plus facilement travaillées car elles étaient d'un seul tenant. Leurs propriétaires, qui n'étaient plus assujettis aux obligations communautaires, pouvaient prendre davantage de risques et notamment introduire de nouveaux produits. On prévenait également de cette façon les dommages causés par les bêtes de labour qui, jusque-là, pouvaient se promener assez librement d'un champ à l'autre. L'élevage sélectif des bovins en fut également favorisé puisque l'on pouvait maintenant retenir ses bêtes dans son champ, empêchant ainsi « l'union hasardeuse du fils de n'importe qui avec la fille de tout le monde. » Au début du XVIIIe siècle, les deux tiers des terres anglaises étaient ainsi clôturées. Toutes ces mesures provoquèrent une hausse marquée de la productivité du sol.

L'évolution agricole du continent

Quelques-uns des changements survenus aux Pays-Bas et en Angleterre se retrouvèrent ailleurs sur le continent, sans qu'ils y aient le même impact. D'autres événements marquants survinrent en France, en Italie et en Allemagne, mais l'absence de coordination entre eux réduisit leur influence sur la situation agricole d'ensemble. Par exemple, l'introduction du maïs dans les années 1690 entraîna une forte augmentation des rendements agricoles dans le nord de l'Italie. Vers le milieu du XVIIIe siècle, il était devenu l'aliment le plus consommé à Venise. Cependant, en l'absence de fertilisants, le maïs épuisait la terre comme le faisaient les autres cultures, et la jachère n'en fut pas éliminée. Un autre exemple concerne la pomme de terre, dont l'implantation fut particulièrement importante en Allemagne et en Irlande. Vers 1800, elle était, comme le maïs à Venise, le produit de consommation préféré dans ces régions. Mais elle aussi épuisait le sol. Sa tendance à pourrir rapidement ne favorisait pas son exportation vers de larges marchés de consommation. À long terme, la pomme de terre renforça l'agriculture de subsistance au sein de la paysannerie. Elle introduisit une dépendance qui était dangereuse, comme le démontrera la grande famine de 1845 en Irlande.

L'apparition de nouveaux produits, de nouvelles pratiques et de nouvelles mentalités changea durablement le visage des campagnes. Mais si les Européens mangèrent mieux et plus, l'instauration de l'économie de marché dans le monde rural altéra de façon sensible la stabilité procurée par la communauté villageoise. L'individualisme devenait de plus en plus la norme. La volonté de clôturer les champs se heurtait aux anciennes coutumes qui privilégiaient les aires ouvertes. La coopération quotidienne, qui était la norme, laissa la place à des conflits liés au non-respect des anciennes habitudes de vie. L'heure était également à la consolidation du patrimoine familial. Au lieu de diviser leur héritage en parts égales, plusieurs propriétaires avaient désormais tendance à privilégier leur fils aîné et à rassembler leurs terres éparses en une seule entité. Cette nouvelle économie compliquait les relations familiales et sociales. Elle ne correspondait pas à un système de valeurs connues.

De plus, l'économie de marché échappait au contrôle local. Le paysan n'avait plus son mot à dire lorsque venait le temps de fixer les prix. Nombreux étaient ceux qui croyaient que, d'une façon ou d'une autre, toute cette activité devait être encadrée. Mais par qui ? Les seigneurs se proposèrent naturellement. D'ailleurs, bien souvent, les paysans leur demandèrent d'intervenir. Ils acceptèrent de le faire, particulièrement en temps de crise, en contrôlant les prix et en organisant des distributions de vivres aux plus démunis. Un nouveau paternalisme se mit en place, qui amena les seigneurs à s'occuper de plus près des intérêts des paysans. Les ruraux se voyaient ainsi liés davantage au propriétaire de la terre. Celui-ci agissait maintenant comme créditeur, prêteur de capitaux et protecteur contre les famines. Il était peut-être encore plus indispensable qu'avant. L'ouverture des campagnes au monde capitaliste ne provoqua donc pas une perte de l'influence des seigneurs sur le monde paysan, bien au contraire.

CHAPITRE III

Les mondes urbains

La place des villes dans le monde européen s'accrut sans cesse à l'époque moderne, même si seulement 12 % de la population du continent vivait dans un cadre urbain. Foyer des pouvoirs politique et financier, les villes abritaient également le monde des savoirs. Cela ne les empêchait pas de rester proches des campagnes qui travaillaient pour elles, les nourrissaient et les peuplaient. Il est ainsi impossible de les séparer du monde rural dans lequel elles s'inscrivaient.

Qu'est-ce que la ville moderne ?

Les mondes urbains étaient très diversifiés. Aux côtés de la douzaine de municipalités du continent regroupant plus de 100 000 habitants en 1700 se trouvaient une infinité d'agglomérations où vivaient quelques centaines, voire quelques milliers d'individus. De tels écarts de taille empêchent d'utiliser le nombre de personnes vivant dans un même lieu géographique comme critère de définition de la ville moderne. De même, l'octroi, par les gouvernements, de chartes définissant les privilèges et responsabilités des municipalités ne peut non plus servir de critère à cette fin, en raison de l'absence de toute charte dans certains pays du continent, notamment l'Angleterre. La présence de murailles n'est pas d'un plus grand secours, les faubourgs s'étendant sans cesse.

Les activités socio-économiques des habitants constituaient le meilleur repère pour distinguer une ville d'un village. Dans toute municipalité travaillaient des artisans en grand nombre. De plus, la population retrouvait dans les milieux urbains les services publics et professionnels pouvant lui être utiles : écoles, maisons de santé et médecins, cours de justice et avocats, bureaux de notaires, établissements gouvernementaux et religieux. La ville, contrairement au village, était à la fois lieu de production et de consommation. Les marchés urbains offraient les biens produits dans les campagnes environnantes. Sur les plans économique et humain, les rapports entre ces deux mondes étaient incessants.

La ville et la campagne

La ville européenne des XVIIe et XVIIIe siècles ne comptait qu'un petit nombre d'habitants : 2 000 âmes en moyenne. Sise dans un univers essentiellement agricole, elle était entourée de tous côtés par des champs. Cette proximité était accentuée par différents facteurs. Les animaux de basse-cour n'étaient pas interdits dans les milieux urbains et plusieurs ménages élevaient poules et cochons pour assurer une partie de leur subsistance. De plus, maintes cités comptaient sur l'agriculture comme occupation principale. Ainsi, au début de l'ère moderne, les habitants de 40 % des villes allemandes détenaient en majorité un métier relié de près à l'agriculture de subsistance. Dans environ 5 % des villes restantes, l'activité économique dominante était la culture de la vigne, la pêche ou l'exploitation du bois. La production artisanale primait dans 15 % des cas et le commerce dans 12 %.

Les villes étaient intimement liées aux campagnes environnantes, d'abord pour leur alimentation.

Le blé représentait par exemple la dépense la plus importante dans le budget des trois quarts de la population de Madrid. Les difficultés du transport des produits imposaient une certaine proximité entre les lieux de production et de vente, même si les villes les plus importantes drainaient un bassin agricole assez large. Cela étant dit, les liens étroits entre ville et campagne immédiate ne se bornaient pas aux produits de consommation.

La mortalité était beaucoup plus importante en ville qu'en campagne, surtout en raison de la prévalence des maladies gastriques provoquées par la nourriture ou l'eau mises à la disposition de la population et des maladies respiratoires comme la bronchite, l'influenza ou la pneumonie. Les conditions de vie déplorables qui se retrouvaient en ville aggravaient nécessairement le taux de mortalité. À l'origine, les municipalités se construisaient à l'intérieur de leurs remparts, ce qui limitait l'espace disponible. Les maisons avaient donc cinq ou six étages, ce qui augmentait la densité de la population urbaine. Les rues étaient étroites et, par conséquent, sombres, compte tenu de la hauteur des maisons qui les bordaient. Généralement faites de terre battue et dépourvues de trottoir, elles étaient le domaine à la fois des piétons, des animaux et des eaux usées. Les égouts n'existaient pas et l'habitude était de tout jeter à la rue ! On disait de Berlin au XVIIe siècle que l'on pouvait sentir son odeur à une distance de 10 kilomètres !

Lorsque la peste ou une autre maladie épidémique frappait, la mortalité était beaucoup plus élevée dans les agglomérations urbaines que dans les campagnes. La grande peste de 1665 entraîna dans la mort environ 28 % des Londoniens, celle de 1709-1713 la moitié de la population de Dantzig. Un autre danger représenté par les concentrations de population était le feu. Le dixième de Moscou brûla en 1773, les trois quarts de Rennes en 1720. Tout cela faisait en sorte que le taux de mortalité urbaine dépassait le taux de natalité. Les villes, ne pouvant se développer par leurs seuls moyens, étaient donc dépendantes des campagnes pour leur peuplement.

La mobilité entre villes et campagnes était très importante. Les paysans quittaient leur terre natale dans l'espoir de gagner en ville l'argent nécessaire à leur mariage. Si certains retournaient au village pour s'y établir, les autres demeuraient dans leur nouveau milieu de vie. Ces individus, essentiellement des jeunes, se retrouvaient dans tous les secteurs d'activité urbains. Les femmes devenaient servantes, mais aussi couturières, lingères, petites marchandes. Les hommes se faisaient artisans, portefaix, porteurs, charretiers, journaliers. Citadins anciens et ruraux fraîchement arrivés des campagnes s'opposaient dans leurs apparences comme dans leurs manières de vivre. Toutefois, et souvent par le biais du mariage, un ancien paysan ou sa descendance immédiate pouvaient rapidement changer leur mode de vie grâce à la diversité des métiers que l'on retrouvait dans une ville.

Vivre en ville

Les capitales dominaient les mondes urbains. Importantes dans tous les royaumes, elles exerçaient une prédominance écrasante au sein des plus petits d'entre eux. En 1650, Amsterdam regroupait 8 % de la population hollandaise ; 11 % des Anglais vivaient à Londres en 1750. Le développement de l'État s'accompagnait d'un accroissement du nombre de ses serviteurs, au bénéfice des municipalités qui accaparaient les fonctions publiques. L'activité économique des capitales était fortement influencée par leurs fonctions politiques, alors que la majorité de leur population active était formée de nobles, d'employés civils et de serviteurs domestiques. Dans les cités industrielles ou commerciales, les artisans, manufacturiers ou ouvriers dominaient la scène du travail.

La pauvreté urbaine

Malgré la richesse relative présente à l'intérieur du cadre urbain, ce dernier se distinguait particulièrement par une grande pauvreté, beaucoup plus prononcée dans les villes que dans les campagnes. La pauvreté urbaine touchait peut-être le quart, voire le tiers, de la population. On peut la percevoir, par exemple, dans le nombre d'enfants abandonnés dans les grands centres : à Venise, au cours du XVIIIe siècle, 9 % des enfants nés en ville allèrent grossir le rang des orphelins.

Bien des éléments pouvaient plonger un individu ou une famille dans la misère. Les maladies, épidémiques ou non, privaient les gens de leur source de revenu. Une ville victime de la peste se repliait sur elle-même : les contacts avec l'extérieur étaient interdits, le commerce s'atrophiait et de plus en plus d'habitants dépendaient de l'aide publique pour survivre. Une épidémie qui se déclencha à Salisbury en 1627 laissa la moitié de la population aux crochets de l'assistance des autorités civiles. Les guerres, les famines, les variations cycliques de l'économie engendraient elles aussi leur lot de nouveaux pauvres. Toute personne incapable de travailler en raison de son âge, d'une infirmité, de son manque d'habileté était condamnée à la pauvreté.

La vie des pauvres n'était guère joyeuse. Les familles s'entassaient dans une seule pièce. Incapables de payer leur loyer, elles déménageaient fréquemment, tout en étant forcées de demeurer dans les quartiers qui leur offraient des possibilités de logement. Au XVIIIe siècle, la relation était manifeste entre l'insalubrité des paroisses et l'indigence de leurs habitants. La pauvreté était également visible dans les vêtements portés par les individus, surtout dans une société où, contrairement au dicton, l'habit faisait le moine. Cela explique pourquoi, au XVIIIe siècle, le peuple de Paris acquit des habitudes vestimentaires par lesquelles il cherchait à mieux paraître. Les textiles devenaient plus accessibles et il existait un marché actif de vêtements usagés dont pouvait profiter l'ensemble de la population, sauf les plus pauvres.

La criminalité urbaine

Le haut taux de pauvreté dans les villes européennes ouvrait évidemment la porte à la criminalité. Si on oublie le fait qu'être pauvre, et surtout vagabond, constituait déjà en soi un crime, le vol représentait le méfait le plus commun aux XVIIe et XVIIIe siècles. Bien souvent, le voleur n'était pas un criminel de carrière. Il voyait une occasion se présenter devant lui et en profitait. Cela se constate dans le type d'objets volés, généralement des vêtements ou des articles d'intérieur.

Les pauvres se volaient souvent entre eux, mais les principales victimes des larcins étaient les tenanciers de pension et ceux qui employaient une main-d'œuvre passagère. Malgré le caractère hautement opportuniste de ce genre de délit, la présence d'un certain crime organisé ne fait pas de doute. Des bandes se spécialisaient dans le vol de vêtements, par exemple, ou la contrebande. Quant à la prostitution, elle était répandue dans les plus grandes villes, beaucoup plus rare dans les municipalités provinciales. La pauvreté était la raison principale qui amenait une jeune femme à adopter cette pratique. La prostituée débutante était souvent une jeune servante qui se trouvait entre deux emplois ou une ouvrière qui subissait les conséquences d'un ralentissement économique dans son secteur de travail. Une fille-mère rejetée par le père de son enfant et par sa famille ne pouvait que difficilement se trouver un emploi et finissait dans la rue.

La richesse urbaine

Aux côtés de tous ces pauvres se retrouvait malgré tout une richesse certaine, personnalisée par les bourgeois qui dominaient la ville comme les nobles dominaient la campagne. Les membres de la bourgeoisie sont difficiles à décrire, le mot « bourgeois » prenant des significations différentes d'un pays à l'autre. Deux caractéristiques permettent toutefois de les cerner : la première est leur richesse, la seconde est leur importance grandissante dans la société du temps. Les bourgeois étaient les éléments les plus dynamiques de l'époque.

Comme les villes qui les abritaient, les bourgeois étaient plus nombreux dans l'ouest de l'Europe que dans l'est. Leur activité principale était le commerce, seule façon d'accumuler rapidement du capital. Mais l'expansion économique favorisa l'apparition de manufacturiers et de financiers. Les juristes et les maîtres artisans complétaient ce tableau. La fortune bourgeoise reposait sur le travail et les liquidités. Au contraire des nobles qui voyaient l'oisiveté comme une vertu, les bourgeois devaient continuellement se battre pour maintenir leur train de vie. Leurs vertus s'appelaient sobriété ou discrétion. Mais les deux groupes se côtoyaient, ne fût-ce que pour permettre aux nobles d'acheter les biens de consommation dont ils avaient besoin. Leur interaction faisait en sorte que les bourgeois aspiraient à devenir membres de l'aristocratie. Ils investissaient une partie importante de leur fortune en placements, comme la terre ou les rentes, qui leur permettraient ultérieurement de ne plus avoir à travailler.

Cela étant dit, une partie de la richesse urbaine demeurait dans la ville, y était investie. Le paysage citadin évolua profondément au cours des XVIIe et XVIIIe siècles. Au début de cette période, de nombreuses municipalités n'étaient pas densément peuplées. Il s'agissait de regroupements d'îlots d'habitation séparés par des étendues herbeuses qui accentuaient leur caractère semi-rural. Toutefois, les espaces vacants entre les quartiers allaient être comblés au fil des années. Deux groupes précis se trouvaient à la base de cette entreprise de transformation urbaine. Tout d'abord, dans les pays catholiques, les congrégations religieuses construisirent nombre de bâtiments pour rapatrier en ville les communautés qui, au fil des siècles, avaient privilégié les campagnes. Les couvents, dotés de vastes bâtiments et entourés de grands jardins, occupaient une part importante de la superficie des municipalités. De plus, le renouveau catholique des XVIe et XVIIe siècles avait favorisé l'émergence de nouveaux ordres religieux qui s'installèrent dans les villes au détriment des campagnes.

Les bourgeois étaient cependant surtout présents dans le processus de transformation des villes. Les ports actifs dans le commerce colonial virent les principaux marchands ériger le long de leurs quais de splendides demeures, signe incontournable de leur prospérité. En Angleterre, les bourgeois embauchaient des architectes pour combler les espaces urbains disponibles par des places élégantes, des allées, des maisons resplendissantes. Celles-ci, de plus en plus, étaient faites de pierres et de tuiles, ce qui réduisait les risques d'incendie. Les investissements n'étaient pas que privés, ils provenaient également de la sphère publique. Les rues étaient élargies, de nouvelles avenues étaient construites. Des efforts étaient accomplis pour les paver, les border de trottoirs, les éclairer davantage. Alors qu'auparavant les gens rentraient chez eux dès la nuit tombée, une vie nocturne commença à se développer. Les édifices publics étaient reconstruits en fonction des nouvelles normes du bâtiment. Les premiers égouts furent percés. Tout cela était rendu possible par la prospérité issue de l'important essor commercial des XVIIe et XVIIIe siècles.

Le commerce

Le développement progressif des colonies d'Amérique et d'Asie au XVIIe siècle amena des changements significatifs dans l'économie et la société européennes. Les produits coloniaux devinrent à la mode, particulièrement les nouveaux breuvages qu'étaient le café, le thé et le cacao. Ces riches denrées rendaient les Antilles si précieuses aux yeux de Voltaire qu'il méprisait, comme bon nombre de ses compatriotes, les

« quelques arpents de neige » canadiens. Malgré leur essor fulgurant, les échanges avec les territoires outre-mer étaient cependant moins volumineux que le commerce intérieur à l'échelle du continent.

Réseaux urbains et commerce intérieur

Les voies de communication à l'intérieur des différents pays européens se trouvaient dans un état pitoyable au début du XVIIe siècle. Les routes étaient mal entretenues, la circulation par les fleuves et les rivières était rendue onéreuse en raison des nombreux péages qui parsemaient le parcours. Une des priorités des gouvernements fut donc d'améliorer le réseau de transport national afin de faciliter le commerce intérieur.

L'accent fut principalement mis sur l'amélioration du transport par voie d'eau, celui-ci se révélant le moins coûteux et le plus rapide. De nombreux canaux furent creusés ; par exemple, sous Pierre le Grand, la Russie se dota d'un système de canaux liant la mer Baltique à la mer Caspienne. En améliorant la circulation des biens, ces nouvelles voies d'eau entraînèrent à l'occasion des baisses de prix importantes. Ainsi, le percement d'un canal entre la mine de charbon de Worsley et la ville de Manchester en 1761 provoqua la diminution de moitié du prix du charbon vendu dans cette ville.

Les routes ne furent pas oubliées pour autant. La France mit ainsi sur pied le service des Ponts et Chaussées au XVIIIe siècle qui dota le royaume du meilleur réseau routier en Europe. Les individus pouvaient voyager plus vite. Alors que quatre jours et demi étaient nécessaires pour se rendre de Manchester à Londres en 1754, la durée du voyage n'était plus que de 28 heures en 1788. Les autorités cherchèrent également à favoriser le commerce intérieur en tentant d'unifier les droits que devaient acquitter les commerçants lorsqu'ils pénétraient dans une ville ou une nouvelle région.

L'ensemble de ces améliorations facilita le développement du commerce national aux XVIIe et XVIIIe siècles. Mais elles contribuèrent également à l'essor du commerce international en ouvrant plus largement l'intérieur du continent aux échanges européens et mondiaux. Par exemple, les producteurs de vin de Champagne ne se contentèrent plus d'approvisionner Paris et envoyèrent par la Seine une partie de leur production jusqu'à Rouen, d'où elle était exportée aux quatre coins de l'Europe. De plus en plus, le continent devenait une seule entité économique.

Le réseau commercial européen

On ne saurait trop insister sur l'importance du commerce intra-européen durant ces deux siècles. En 1716, 91 % des exportations françaises et 66 % des importations s'effectuaient à l'intérieur du continent. Les produits expédiés à l'étranger pouvaient être issus autant des colonies, comme le sucre et le café par exemple, que de l'industrie et de l'agriculture nationales : toiles, draps, vins. La France importait, entre autres biens, du bois, du fer, du goudron.

Le réseau commercial européen s'était lentement forgé au fil des siècles. Aux XVIIe et XVIIIe siècles, il s'articulait autour de grandes villes-entrepôts qui agissaient comme des centres de distribution pour les produits dont pouvaient avoir besoin les régions auxquelles elles étaient reliées par des voies commerciales. Amsterdam dans les années 1600, puis Londres constituèrent ainsi tour à tour une plaque tournante du commerce européen.

Au XVIIIe siècle, l'Angleterre domina complètement le commerce continental. La capacité de sa flotte de transport quintupla, voire sextupla entre 1700 et 1800. La valeur de ses échanges avec l'étranger était estimée à 13 millions de livres sterling par an entre 1716 et 1720 et à 312 millions entre 1784 et 1788. Malgré les barrières tarifaires que lui imposaient les nations rivales, la forte demande pour les produits se retrouvant dans les entrepôts londoniens permit au royaume anglais de se procurer sans difficulté les biens qui lui permettaient de maintenir sa domination sur les mers d'Europe. L'Angleterre avait besoin du bois norvégien et du fer suédois pour continuer à construire les navires qui assuraient sa suprématie maritime. Elle put s'en procurer en échange de charbon, de tabac et d'autres produits coloniaux qui transitaient par sa capitale. L'essor commercial anglais allait également permettre à ce royaume de devenir dominant en Méditerranée. Ses textiles allaient profiter de l'affaiblissement industriel italien pour s'imposer dans le monde méditerranéen. Ses produits se retrouvaient jusque dans les Balkans et en Égypte. Ce succès était dû en bonne partie à la puissance de son commerce colonial.

Le commerce colonial

L'économie commença véritablement à se mondialiser au XVIIe siècle. Portugais, Espagnols, Anglais, Français, Hollandais se lancèrent à l'assaut des richesses qu'ils trouvaient dans ce qu'ils appelaient les Nouveaux Mondes. Après avoir vu l'Espagne et le Portugal se tailler des empires énormes dans le sillage des grandes découvertes du XVIe siècle, les Hollandais réussirent à contrôler le commerce colonial par la suite. Grâce à la Compagnie hollandaise des Indes occidentales, les Provinces-Unies détenaient virtuellement le monopole du commerce des épices (poivre, cannelle, muscade). Cet État devint si puissant que ses commerçants parvinrent à contrôler une partie des échanges interasiatiques. Les relations entre l'Inde et le Japon, la Chine et les Philippines se retrouvèrent sous leur emprise.

Imitant ce modèle, la France mit sur pied tout au long du XVIIe siècle des compagnies devant favoriser le développement colonial et l'accroissement du commerce. La Compagnie des Cent-Associés, chargée d'exploiter les richesses de la Nouvelle-France, reçut sa charte en 1626. Mais ce système limitait trop l'initiative individuelle et des pressions se firent sentir pour que le royaume libéralise son commerce colonial. Moyennant le paiement d'un droit modique d'environ 2 %, les négociants privés allaient obtenir la liberté du commerce dans les Antilles et celle du trafic des esclaves. Seules les régions les plus éloignées du monde, les Indes et surtout la Chine, continuèrent à se retrouver sous la coupe de compagnies à monopole au XVIIIe siècle. L'argent investi en Europe pour le départ d'un bateau ne se transformait en revenu qu'au retour de celui-ci... s'il revenait. Commercer dans ces endroits nécessitait donc d'importantes réserves de capitaux, car la durée totale d'un voyage (aller et retour) dépassait les deux ans.

Le commerce le plus rentable de cette époque fut celui des esclaves. Les Européens se procuraient ceux-ci contre des objets de peu de valeur, pacotilles ou toiles, et les échangeaient dans leurs colonies pour de l'or. Des négriers de tous pays tentèrent de profiter de la manne. Ce fut toutefois l'Angleterre qui devint la plus active dans ce domaine. Ses marchands transportaient annuellement 5 000 esclaves au début du XVIIIe siècle, nombre qui passa à 25 000 vers 1745 puis à 45 000 vers 1800. Certains ports durent leur fortune à ce trafic : particulièrement Nantes, en France, et Liverpool, en Angleterre. Les armateurs de cette ville transportaient annuellement 30 000 esclaves vers les Amériques à la fin du XVIIIe siècle.

Le début de l'industrialisation

L'essor commercial en Europe aux XVIIe et XVIIIe siècles se fit parallèlement au développement industriel. Bien sûr, il faut être conscient des limites propres à l'époque. Après cette période, en 1800, le continent se trouvait encore largement à l'état préindustriel. Seules quelques régions comme l'Angleterre, la Catalogne et l'Oural avaient connu des transformations telles que l'on parle à leur sujet de « révolution industrielle ». Toutefois, une évolution sensible de la structure de ce secteur était visible un peu partout, malgré la présence de certains freins au progrès.

Des survivances médiévales

L'Europe était d'abord et avant tout tributaire de son passé médiéval en ce qui concernait ses industries. L'unité de production typique de l'époque était le petit atelier et non l'usine. La demande était faible. Les paysans étaient largement autosuffisants et l'expansion coloniale n'avait pas encore engendré une nouvelle classe de consommateurs cherchant à diversifier sa consommation.

Les industries dominantes étaient celles qui satisfaisaient d'abord les besoins essentiels de la population : logement et habillement. La première était tributaire du développement commercial du temps ainsi que, dans une moindre mesure, de différents facteurs liés aux aléas militaires. Dans les petites villes anglaises, les marchands se dotèrent de maisons de plus en plus grandes qui devaient frapper l'œil des passants, montrer la prospérité de leur propriétaire. Les maisons de briques se multiplièrent, favorisant l'essor des métiers liés à ce secteur.

Le domaine de l'habillement était étroitement relié à l'industrie du textile, la plus importante de l'époque. La plupart de ses producteurs étaient des ruraux. À la recherche d'un supplément salarial leur permettant de survivre surtout aux années de misère, les paysans étaient prêts à travailler pour un entrepreneur urbain. Celui-ci achetait la matière première — laine, coton, lin — la distribuait ou la vendait à des unités familiales rurales. Après sa transformation, le même homme venait recueillir ou racheter le produit fini et le commercialisait.

Ce système fut appliqué au coton à partir de la fin du XVIIe siècle. Ce produit, au lieu d'être importé après transformation dans les colonies, fut transporté à l'état brut pour être travaillé dans les campagnes européennes. Il s'agit de l'industrie nouvelle la plus importante au XVIIIe siècle. La production de coton français doubla entre 1732 et 1766. En 1760, l'industrie du coton employait 10 000 travailleurs en Catalogne, puis 100 000 vers 1800, les deux tiers étant des femmes.

Pour un bourgeois, le grand intérêt d'avoir recours à des travailleurs agricoles dans ce domaine résidait dans leur absence d'organisation. Le travail en ville était dominé par des guildes que de nombreux gouvernements jugeaient fort utiles, car il leur était facile de les assujettir à l'impôt. La France en 1673 et l'Espagne six ans plus tard renforcèrent l'emprise de ces guildes sur leurs métiers. Mais cette structure n'empêcha pas un certain développement au cours des XVIIe et XVIIIe siècles. La production augmenta, de même que la taille des ateliers. Plus de la moitié des chapeliers parisiens recensés en 1739 (33 sur 63) employaient d'un à quatre ouvriers. Seuls deux maîtres pouvaient compter sur la force de travail de plus de quarante personnes. En 1790, tous les maîtres employaient au moins cinq travailleurs, et quinze chapeliers en avaient plus de quarante à leur disposition. Cette consolidation se retrouvait dans la plupart des villes européennes. Confrontées à la concurrence de plus en plus vive des travailleurs ruraux, ces villes durent réagir, surtout les plus petites d'entre elles, en développant leur expertise dans des productions spécialisées.

Les gouvernements et l'industrie

Si certaines communautés parvinrent à prendre en mains leur destinée économique, les gouvernements centraux eurent également leur mot à dire dans le développement industriel de l'État. Leur action se fit sentir à plusieurs égards, notamment dans le soutien aux industries de luxe et dans les besoins créés par le développement des armées nationales.

L'intérêt des gouvernants pour les biens de luxe dérivait de la doctrine économique la plus en vogue au XVIIe siècle : le mercantilisme. Selon cette doctrine, toute la richesse du monde avait déjà été créée ; il était donc impossible d'en générer de nouvelles. L'enrichissement des États passait dès lors par la confiscation de la richesse se trouvant chez leurs voisins et concurrents. Il fallait donc favoriser les exportations, qui drainaient l'argent étranger à l'intérieur des frontières nationales, tout en limitant les importations. Cette façon d'envisager l'activité économique apparut vers la fin du XVIe siècle et connut ses heures de gloire dans la France de Louis XIV.

Dans cette optique, produire des biens de luxe devenait une nécessité. La vente de ces biens, chers par définition, à l'étranger procurait beaucoup de ressources à l'État. La tapisserie, la soie, la porcelaine faisaient partie des biens dont on encouragea la production. De nombreux gouvernements favorisèrent également le développement de l'industrie verrière. Vitres et miroirs de qualité, dont Venise détenait auparavant le monopole, furent ainsi produits un peu partout en Europe. Pour réaliser la fameuse galerie des Glaces de Versailles, Louis XIV embaucha des artisans vénitiens pour qu'ils viennent réaliser leur œuvre en France même. Versailles représentait d'ailleurs le symbole même du mercantilisme en action. Le château fut entièrement construit avec des matériaux français transformés par des ouvriers installés en France.

Le développement colonial était intimement lié à cette politique économique. Les colonies devenaient lieux d'extraction de biens qui enrichissaient la métropole ; parallèlement, les coloniaux représentaient un nouveau groupe de consommateurs à qui vendre les produits transformés dans la métropole. Les limites de cette politique se voient dans le fait que l'industrie des biens de luxe n'a jamais employé la majorité de la main-d'œuvre d'un pays, bien qu'elle nécessitât généralement un grand nombre de travailleurs.

Beaucoup plus importantes au chapitre de l'emploi étaient les industries chargées de répondre aux besoins militaires des États. Durant toute la période, non seulement les armées et les marines avaient connu une forte hausse de leurs effectifs, mais elles utilisaient un équipement plus sophistiqué et plus coûteux. Chargés de construire les bateaux, de les réparer, de les fournir en cordes, en canons et autres produits nécessaires à la navigation, les chantiers maritimes étaient les plus importants complexes industriels du temps.

De même, c'est la question des besoins de l'armée qui incita Pierre Ier de Russie à mettre sur pied et à protéger les industries de l'Oural. Situé à plus de 1 600 kilomètres de toute zone urbanisée importante, servi par un réseau de communications tellement mauvais que les minerais pouvaient prendre jusqu'à deux ans pour atteindre la Baltique, l'Oural représentait néanmoins la zone industrielle la plus active d'Europe vers 1760. Près de 300 000 personnes y travaillaient dans les mines et les forges. Ce nombre est d'autant plus remarquable que, en 1700, la région était à peu près inexploitée.

Le développement industriel anglais

L'Angleterre était sans conteste la région la plus industrialisée à la fin de l'époque moderne. Là commença au cours du XVIIIe siècle une évolution que l'on appelle maintenant la révolution industrielle. Ses origines ne se résument pas qu'à un seul facteur. Plusieurs éléments devaient avoir été mis en place pour permettre à l'économie anglaise d'aller de l'avant de façon durable (*voir carte p. 120*).

Ainsi, l'agriculture devait être suffisamment développée pour être à même de nourrir une proportion de plus en plus grande d'individus n'ayant plus de contacts directs avec la terre. La structure sociale devait être assez souple afin de faciliter les changements de profession des Anglais. Il fallait des capitaux pour financer les nouvelles initiatives. En 1800, près de 70 banques étaient présentes à Londres ; vers la même époque, il y avait déjà environ 400 banques provinciales. Cet argent permit le développement de voies de communication adéquates pour transporter la production, au moment où les marchés pour écouler celle-ci se faisaient plus nombreux. Le pays devait également profiter de l'exploitation de ressources naturelles devenues indissociables de la nouvelle économie, notamment le fer et le charbon. Finalement, l'environnement social ne devait pas être figé, mais ouvert aux innovations.

La révolution industrielle anglaise se nourrissait d'elle-même, chaque nouvelle innovation en imposant d'autres. La trilogie charbon-fer-vapeur illustre bien ce propos. L'Europe utilisait le bois pour la fonte du fer, ce qui mettait à mal les réserves forestières du continent. Le charbon de terre représentait une solution intéressante, mais les infiltrations d'eau dans les mines empêchaient leur exploitation maximale. L'utilisation de pompes à vapeur permit une meilleure exploitation des mines, qui fournissaient ainsi du combustible de meilleure qualité aux fonderies, lesquelles produisaient l'acier dont étaient faites les machines à vapeur. La production de charbon passa ainsi de 3 millions de tonnes en 1700 à 10 millions en 1800.

Le premier pas de l'Angleterre vers la révolution industrielle fut ainsi marqué par la création de la machine à vapeur. Brevetée par Thomas Savery en 1698, elle fut rapidement adoptée pour pomper l'eau des mines et pour tous les bobinages. En 1731, 51 de ces machines fonctionnaient en Europe, dont 40 en Angleterre. En 1769, James Watt présenta une nouvelle machine qui permettait de diminuer des trois quarts l'énergie requise pour la faire fonctionner. Plus compacte, plus économique, elle pouvait maintenant être utilisée pour faire fonctionner de la machinerie. En 1784, une machine de Watt fit rouler pour la première fois un moulin à coton. En 1800, il y avait plus de 1 000 machines à l'œuvre sur le sol anglais.

Le développement industriel changea radicalement la société et le paysage anglais. De petits villages devinrent en quelques décennies des villes importantes. Ce fut particulièrement le cas de Manchester, devenue la capitale du coton, et de Birmingham, centre de l'activité métallurgique. Des communautés qui grandissaient aussi rapidement ne pouvaient se doter de services publics répondant parfaitement aux besoins exponentiels de leur population. Vivre dans ces villes n'était pas chose agréable.

Deuxièmement, la taille des usines se transforma complètement. Au petit atelier issu de Moyen Âge succéda l'usine où œuvraient de plus en plus d'ouvriers. Vers 1790, on comptait en Angleterre au moins 150 grandes usines employant des centaines de travailleurs, jusqu'à 900 pour l'une d'entre elles. Le travail devint nécessairement plus hiérarchisé. Les contacts directs entre patron et travailleurs disparurent, à mesure que le contremaître s'interposa entre eux. La cadence du travail devint beaucoup plus rapide. Des métiers estimés quelques années plus tôt tombèrent dans l'oubli, avec les conséquences psychologiques et sociales qui en découlaient pour ceux qui les pratiquaient.

Tous ces changements n'allèrent pas sans influer sur les relations sociales. Entre 1717 et 1800, on a relevé 383 incidents découlant de protestations contre l'industrialisation de la société anglaise. Les ouvriers d'industries anciennes et les ouvriers d'industries nouvelles luttaient parfois pour les mêmes emplois. Patrons et travailleurs s'opposaient bien souvent, même si le mot « grève » ne fut utilisé pour la première fois dans son sens moderne qu'en 1765 — la pratique ayant évidemment précédé l'appellation. On assista dès les premières décennies du XVIIIe siècle aux débuts de la prise de conscience ouvrière : une proclamation de 1718 interdit les clubs ou organisations parallèles formés par les tisserands ou les cardeurs de laine londoniens. Des machines furent mises en pièces par des ouvriers révoltés.

Le développement industriel changea la relation des uns et des autres avec leur milieu de vie. Les villes non industrialisées n'étaient pas exemptes de grogne, voire de révolte ouverte. Mais ces tensions ne remettaient pas en cause l'ordre social. Des augmentations d'impôts, des famines les provoquaient. Le mécontentement populaire exprimait un appel à l'aide devant une situation précise plutôt qu'un désir de transformation politique ou sociale. Bien que la ville eût été, comparativement au monde rural, un terreau fertile pour l'expression de l'individualité, les habitudes sociales ainsi que les pouvoirs politique et religieux réussirent à contenir les tensions au sein des municipalités européennes pendant la majeure partie des XVIIe et XVIIIe siècles. Un fort sentiment communautaire s'y retrouvait, alimenté notamment par l'adhésion de tous à une même religion, qu'elle fût catholique ou protestante. Mais même la religion aura de plus en plus de mal à résister aux forces du temps.

CHAPITRE IV

Les mondes de la foi

La déchirure provoquée par l'apparition et l'expansion du protestantisme au cours du XVIe siècle n'avait pas favorisé une diminution de la ferveur religieuse ou l'éclosion d'un athéisme plus ou moins généralisé, loin de là. Le besoin de croire restait fondamental et s'était même transformé en besoin de bien croire. À l'aube de la Réforme protestante, la religion catholique se vivait et se comprenait en termes sociologiques bien plus que théologiques. La population dans son ensemble n'entendait rien aux subtilités de la foi. Elle ne cherchait qu'un réconfort face aux multiples dangers du monde terrestre. À ce titre, elle était prête à mélanger religion, superstition et magie pour peu que l'ensemble lui procurât un sentiment de sécurité, qui était renforcé par les pratiques religieuses communautaires. La montée en force d'une deuxième religion structurée à l'échelle continentale révéla toutefois la nécessité de mieux connaître les rouages d'une foi en train de s'individualiser.

L'Europe aux lendemains des guerres de religion

La deuxième moitié du XVIe siècle avait été marquée par de violentes guerres civiles à consonance religieuse, particulièrement aux Pays-Bas espagnols et en France. Dans ce dernier royaume, les catholiques, s'étant rendu compte que l'épée ne parvenait pas à éradiquer les protestants, décidèrent de les tolérer momentanément dans l'espoir de les convertir par la douceur. Mais dans une Europe où celui qui ne partageait pas la foi commune était présenté comme un danger pour l'ordre social, cette approche douce était somme toute illusoire.

L'éclatement du protestantisme

Contrairement à l'Église catholique unifiée autour de Rome, le protestantisme était dans son essence même un mouvement éclaté. Martin Luther, en acceptant que tous aient accès à la lecture de la Bible, ouvrit une boîte de Pandore qui était loin d'être refermée un siècle plus tard. Les interprétations divergentes des Évangiles étaient nombreuses du vivant du réformateur, et d'autres allaient continuer à apparaître tout au long des années 1600 et 1700.

Il n'existait pas d'unité théologique au sein des Églises protestantes. Des points majeurs divisaient les uns et les autres. Ainsi, on ne s'entendait pas sur la signification du sacrement de l'eucharistie, sinon pour dire que la position des catholiques sur ce sujet était erronée. Une autre question fort débattue concernait le baptême. Certains prétendaient que les enfants qui le recevaient ne pouvaient être conscients de la grâce que Dieu leur faisait en les accueillant dans son royaume. Surtout, les enfants ne pouvaient se rendre compte de l'importance de ce sacrement et des responsabilités qui y étaient associées. D'où la nécessité de baptiser les adultes. Issues de la pensée anabaptiste du XVIe siècle, les Églises baptistes allaient devenir de plus en plus influentes en Europe. Pour leurs membres, l'adhésion à une Église était volontaire et réservée aux « saints visibles ». Dieu offrant sa grâce à tous, il appartenait aux individus de s'en saisir et de croire. Tout croyant avait ainsi le devoir de répandre la Parole divine et d'amener les autres à croire.

L'absence d'unité théologique au sein du protestantisme se traduisit par la diversité des organisations que se donnèrent les différents groupements de cette religion. Le débat portait sur la source du pouvoir de direction du mouvement. Ainsi, les presbytériens soutenaient que l'autorité issue d'Églises locales théoriquement autonomes devait être déléguée à des assemblées régionales et nationales. Le pouvoir partait donc du bas de l'échelle pour remonter vers le haut, échappant à l'influence des évêques, des rois ou des papes. Par comparaison, en Angleterre ou en Scandinavie, l'Église continuait à être gouvernée par les évêques. Ces nombreuses divisions pouvaient mener à des oppositions de nature politique. Cela se vit particulièrement lorsque la guerre de Trente Ans embrasa l'Allemagne. Les princes luthériens allemands montrèrent peu d'empressement à appuyer les calvinistes qui, à l'encontre de la volonté impériale, avaient élu un des leurs roi de Bohême en 1618. Leur adhésion au protestantisme n'empêcha pas Hollandais et Anglais de développer une intense rivalité commerciale qui les entraîna dans deux guerres ouvertes, de 1652 à 1654 et de 1665 à 1667.

Le renouveau catholique

Parler d'une diversité protestante ne doit pas faire croire que les catholiques étaient, eux, unis sur tous les fronts. Bien sûr, la doctrine romaine, applicable à l'ensemble du catholicisme, avait été réaffirmée par les évêques réunis au concile de Trente (1545-1563). Mais un problème subsistait : celui de l'influence de Rome au sein des Églises locales, jugée pernicieuse par les uns et les autres, mais pas toujours pour les mêmes raisons.

Ainsi, en Espagne, on craignait la mollesse de la curie romaine, que l'on jugeait beaucoup trop encline au péché. Depuis le Xe siècle, les Espagnols s'étaient lancés à la reconquête de leur péninsule, auparavant contrôlée presque complètement par les Arabes. Cette croisade continuelle avait donné au catholicisme ibérique une force sans commune mesure en Europe, mais aussi un certain sentiment de supériorité. L'Espagne, d'ailleurs, avait été peu touchée par la Réforme protestante. L'Inquisition, protégée par la royauté et acceptée par les populations locales, y avait veillé, elle qui avait également à l'œil les Maures et les *conversos* judaïsants. L'inflexibilité des religieux espagnols était leur marque de commerce, et elle semblait donner des résultats. Avant 1550, seulement 37 % de la population pouvait réciter les quatre prières principales du catholicisme (*Pater, Ave, Credo, Salve*), une proportion qui passa à 68 % dans les années 1580-1590 et à 82 % durant la première moitié du XVIIe siècle. Par comparaison, le catholicisme italien, du moins dans le nord de la péninsule, s'était fait plus clément, s'axant sur la charité. L'application des décisions du concile de Trente par Charles Borromée (1538-1584) dans le diocèse de Milan devint le modèle du catholicisme dans la péninsule italienne.

L'évêque était considéré d'abord et avant tout comme un pasteur qui devait être entièrement dévoué à sa tâche. Il devait veiller particulièrement, comme le lui avait rappelé le concile, à la prédication, à la bonne tenue de son diocèse, qu'il avait obligation de visiter régulièrement, et à la formation des prêtres. Les pères conciliaires avaient accordé beaucoup d'attention à la place centrale de l'épiscopat dans l'Église. Cette position incita un certain nombre d'ecclésiastiques à croire que leur autorité venait de Dieu lui-même, sans être nécessairement déléguée par le pape. Il en découlait une indépendance vis-à-vis de Rome, mais aussi par rapport au pouvoir royal. Les deux prétentions posaient problème.

Au sein de l'Europe catholique, l'Église offrait aux nobles une carrière et un revenu appréciable. Elle possédait de vastes territoires et exerçait un pouvoir juridique non négligeable. Ses plus hautes fonctions revenaient presque uniquement à la noblesse qui, arguant de l'intérêt économique familial, faisait tout pour garder la main sur ces activités lucratives, comme l'a montré un Paul de Gondi, par exemple, cardinal de Retz puis archevêque de Paris. Très tôt, il s'était fait remarquer par ses nombreuses aventures galantes et les multiples duels qu'il livrait à d'autres jeunes nobles. Or, écrit-il dans ses *Mémoires,* son père, bien qu'il fût au courant de ses frasques, n'épargna rien « pour attacher à l'Église l'âme peut-être la moins ecclésiastique qui fût dans l'univers ». Quant au cardinal de Bernis, nommé ambassadeur de France à Venise en octobre 1752, il y partagea une maîtresse — d'ailleurs elle-même religieuse — avec nul autre que Casanova ! Ces attitudes et comportements bien peu catholiques n'étaient pas dénoncés par les papes du temps, car ceux-ci participaient du même système économico-politico-familial.

Les Églises et la foi des Européens

Tous les évêques n'étaient pas aussi cyniques que le cardinal de Retz et bien des ecclésiastiques se dévouaient corps et âme pour le triomphe de leur religion. Certains, même, étaient prêts à donner leur vie dans ce combat dont l'objectif était le salut des fidèles. Éducation et conversion devinrent le leitmotiv de ces hommes et de ces femmes qui, pour toucher la population, n'hésitèrent pas à adapter leurs pratiques à la réalité du monde. Dans ce mouvement, l'expression de la foi devint moins communautaire, plus individuelle.

Raffermir la foi des Européens

La Réforme protestante mit à l'ordre du jour la formation religieuse de la population. Luther avait insisté sur l'importance pour les chrétiens d'avoir directement accès au message divin par la lecture de l'Évangile, ce qui exigeait que l'on sache d'abord lire. De plus, la prédication devenait essentielle pour bien expliquer aux fidèles ce que l'on considérait être les abus de l'Église catholique. Les Européens réformés devaient donc bien connaître les éléments théologiques qui se distinguent de ceux des adeptes du culte romain.

Par ailleurs, en réaction à la menace protestante grandissante, Rome se rendit compte de la nécessité de mieux encadrer les croyants, objectif qui ne pouvait être atteint que par une amélioration de la formation des prêtres. La reprise en main du clergé rural fut une priorité du renouveau catholique. Le concile de Trente avait prévu que chaque évêque fonderait un séminaire au sein duquel les prêtres locaux devaient être formés. L'obligation se transforma rapidement en vœu pieux : un évêque peu intéressé à réformer son diocèse n'allait pas consacrer temps, énergie et argent à mettre sur pied un tel séminaire. La formation des prêtres séculiers revint donc en partie aux jésuites. Ceux-ci mirent sur pied à travers le monde de nombreux collèges qui veillaient à l'éducation des élites cléricales et laïques, tout en fournissant à la Compagnie un énorme bassin de recrues.

Une fois formés, de nombreux prêtres trouvèrent encadrement et soutien à l'intérieur de regroupements qui leur offraient une association libre, sans émission des trois vœux religieux. L'initiative en revenait à saint Philippe Neri, qui fonda l'Oratoire romain en 1575. Le modèle fut repris en France par Pierre de Bérulle, qui établit le premier institut de ce genre en 1611. Manifestement, un besoin y trouvait satisfaction, puisque, en France seulement, le nombre de maisons de ce type passa à 19 en 1618 et à 73 en 1631. Leurs membres obtenaient là un moyen de redonner du lustre à un petit clergé qui, bien souvent, ne valait guère mieux que les paysans dont il avait charge d'âmes. D'ailleurs, conscients de leur responsabilités à l'égard des populations locales, ces prêtres allaient souvent se lancer dans l'activité missionnaire auprès des paysans.

Les missions européennes

Dès le départ, les jésuites se lancèrent dans des expéditions visant tant à combattre la propagation de l'hérésie en Europe qu'à conforter dans leur foi les catholiques habitant des paroisses qui ne retenaient pas autrement l'attention de la hiérarchie. Leurs objectifs religieux rejoignaient les buts politiques des monarques catholiques qui, voués à la centralisation de leur État respectif, n'acceptaient pas la présence de minorités en son sein. De 1665 à 1692, Paolo Segneri accomplit ainsi 540 missions en Italie qui lui permirent d'œuvrer dans 23 diocèses différents. L'importance accordée à ce travail est révélée par la fondation d'ordres religieux dont le mandat était spécifiquement de travailler auprès des populations rurales, comme l'ont fait les lazaristes, dont la Congrégation des Prêtres de la Mission a été fondée à Paris en 1625 par Vincent de Paul.

Les missionnaires cherchaient ce qui pouvait émouvoir la population, l'atteindre dans sa foi. D'où l'importance accordée, entre autres moyens, aux images et à la musique. Michel le Nobletz, qui prêcha en Bretagne au début du XVIIe siècle, utilisait ce qui s'apparente à des cartes peintes sur des peaux de mouton pour illustrer sa prédication. Edmund Pascha, moine franciscain mort en 1772, composa de nombreuses œuvres religieuses en s'inspirant du folklore slovaque pour se mettre au diapason de ses ouailles. Il abandonna à l'occasion le latin pour se faire mieux comprendre de ses fidèles.

La compréhension du message religieux

Sensibiliser les fidèles était une chose, les catéchiser pleinement en était une autre. Les catholiques comme les protestants voulaient faire des Européens des chrétiens pleinement conscients de leur foi. Ceux-ci devaient être en mesure de la vivre et de l'exprimer personnellement. Mais le volet communautaire de la religion n'en était pas abandonné pour autant. Il se déroulait au rythme des fêtes chrétiennes. Si les protestants ne célébraient que les grands moments de la vie du Christ (Pâques, Noël, la Pentecôte), les catholiques commémoraient la Vierge (Immaculée Conception, Annonciation, Assomption) et les saints. Les catholiques organisaient également des processions.

La plus importante célébration collective de la foi était évidemment la messe ou le service qui se tenait tous les dimanches. Les réunions hebdomadaires des fidèles donnaient l'occasion de transmettre le message divin. Officiellement, les pasteurs protestants devaient prêcher à deux reprises le dimanche et une fois le mercredi. En pratique, ils ne livraient en Angleterre qu'un sermon par semaine. Les catholiques devaient quant à eux se réunir près de cent fois par année pour la messe, soit tous les dimanches et les jours de fête. Concrètement, tous ne pouvaient participer à la célébration et les fidèles présents n'avaient pas toujours l'écoute attentive. Heureusement, le développement de pratiques et de dévotions individuelles permettaient à l'ensemble de la population de célébrer sa foi.

Au premier chef se retrouvait chez les protestants la lecture de la Bible, par laquelle Dieu se révèle aux fidèles. Bien sûr, tous ne savaient pas lire et ne possédaient pas une bible, qui restait un livre cher. Mais chaque chef de famille possédait un recueil des psaumes (le psautier) que l'on récitait ou chantait en famille. Deux fois par jour, soit matin et soir, le père lisait quelques versets de la Bible à sa femme, à ses enfants et à ses serviteurs, puis les gens réunis chantaient les psaumes et récitaient à voix haute le « Notre Père ». Si les catholiques n'avaient pas le droit de lire les Évangiles, ils pouvaient et devaient réciter les prières communes (*Pater noster* et *Ave Maria*) plusieurs fois par jour. Depuis la fin du XVe siècle s'était développée la pratique du rosaire, prière adressée à la Vierge comprenant quinze dizaines d'*Ave Maria* séparées par des *Pater noster*. L'imprimerie avait favorisé la distribution de livres de prières individualisées qui proposaient des dévotions consacrées à des circonstances précises de la vie ou à certains métiers.

L'individualisme catholique se manifesta aussi par le biais du confessionnal. Le pécheur, seul devant Dieu par l'intermédiaire du prêtre, prenait conscience de ses fautes. La pratique de la confession révéla la ligne de rupture entre les dévots et la masse des catholiques. Les membres de la Compagnie de Jésus étaient des partisans de la communion fréquente, ce qui soulevait chez certains des questions quant à la sincérité du pécheur dans l'acte de contrition et dans sa vie religieuse en général. Les disciples de Cornelius Jansen, évêque d'Ypres mort en 1638, tenaient pour acquis que les fidèles, quoi qu'ils fissent, ne pouvaient être sauvés que par une grâce particulière de Dieu. Il en découlait l'obligation de vivre selon une morale stricte et un accès limité à certains sacrements, particulièrement la confession. Les jansénistes, comme on allait les appeler, malgré la condamnation répétée de leur doctrine par le pape, représentèrent une force importante, surtout en France. Ils reprochaient aux jésuites d'être trop laxistes dans leur approche de la foi. Ce débat est l'un des nombreux qui opposèrent l'ordre de saint Ignace à certains membres de l'Église catholique ; leur approche de la conversion des infidèles du Nouveau Monde en a fourni un autre.

La mondialisation du christianisme

La découverte des Nouveaux Mondes à la fin du XVe siècle n'ouvrit pas que de nouvelles perspectives économiques aux Européens. Une tâche religieuse gigantesque s'offrait également aux catholiques comme aux protestants : propager la foi chrétienne aux populations indigènes qui en avaient été privées depuis des siècles. Jusque-là confiné au continent européen, le christianisme allait devenir mondial.

Dès les années 1540, le jésuite François Xavier

avait pris place sur un navire portugais en route vers l'Inde. Son exemple fut suivi par des milliers de jeunes Européens au cours des XVIIᵉ et XVIIIᵉ siècles. Œuvre gigantesque qui nécessita une organisation complexe et un financement important, les entreprises missionnaires catholiques furent supervisées par la papauté, grâce à la mise sur pied de la congrégation *De propaganda fide* par Grégoire XV (pape de 1621 à 1623). Rome entendait veiller à ce que le clergé colonial ne fût pas exclusivement soumis aux différentes puissances européennes et à ce que les questions religieuses ne fussent pas reléguées au second plan par les puissances qui cherchaient d'abord et avant tout leur enrichissement.

Le but des missions catholiques n'était pas de transformer les indigènes en Européens. Au contraire, les rites locaux devaient être respectés à condition de ne pas être contraires à la religion et « aux bonnes mœurs ». De plus, on insista énormément sur la constitution d'un clergé autochtone, à même de bien comprendre les besoins et les pratiques des populations locales. Le clergé indigène devait évidemment être encadré par des missionnaires formés en Europe, à Rome même dans le *Collegio Urbano* ouvert en 1627. Un an plus tôt, la congrégation avait mis sur pied une imprimerie qui devait fournir aux missionnaires le matériel polyglotte nécessaire à l'accomplissement de leur mandat.

Actifs tant en Amérique du Nord et du Sud qu'en Asie, au Proche-Orient, au Moyen-Orient et dans le sous-continent indien, les nouveaux apôtres étaient confrontés à des cultures complètement différentes les unes des autres. Pour se faire comprendre, ils se lancèrent dans une vaste entreprise de traduction de mots et de concepts parfois totalement étrangers aux peuples auprès desquels ils travaillaient. Ce faisant, ils couraient le risque de modifier, ne serait-ce que subtilement, le message chrétien. Les jésuites étaient prêts à faire face à ce danger, mais pas les dominicains, qui exigeaient la stricte obéissance aux dogmes et pratiques de l'Église. La vision de ces derniers finit par prévaloir. L'ordre des jésuites fut interdit dans la plupart des pays européens au cours des années 1760, avant d'être aboli par le pape. Dans les Nouveaux Mondes, et plus particulièrement en Asie, la majorité des convertis retournèrent à la foi de leurs ancêtres.

Si l'Église catholique adopta très tôt une approche missionnaire, il n'en fut pas de même des protestants, pour qui cette œuvre pouvait sembler secondaire. En effet, certains d'entre eux croyaient que les païens étaient d'anciens chrétiens qui, de leur plein gré, avaient quitté le royaume de Dieu. Se trouvant de leur propre volonté hors des voies du Seigneur, ils ne pouvaient compter sur personne pour les y replacer. Les pasteurs devaient d'abord et avant tout s'occuper de leurs ouailles à l'intérieur de leur paroisse sans se soucier de la conversion de ceux qui ne partageaient pas leur foi. Cette façon de voir fut toutefois contestée par plusieurs. Ainsi, la Compagnie hollandaise des Indes orientales inaugura une mission dans les années 1620 pour laquelle elle assura le recrutement des pasteurs et des missionnaires. En Amérique du Nord britannique, le puritain John Eliot (1604-1690) apprit les langues indigènes. Les quelque 4 000 Amérindiens qui se retrouvaient dans la quinzaine de postes sous sa supervision — les *Praying Towns* — avaient droit à une bible traduite dans leur langue. Soucieux de voir les autochtones prendre au moins partiellement en main leur destin, Eliot en envoya quelques-uns en Angleterre ; un collège fut fondé pour eux à Oxford.

Les efforts déployés, tant par les catholiques que par les protestants, eurent un succès relatif. Des milliers d'indigènes adoptèrent certaines pratiques chrétiennes, mais cela n'en faisait pas nécessairement des chrétiens de la tête aux pieds ! On se trouvait devant une question fondamentale, laissée sans réponse : comment s'assurer de la pénétration de la foi dans le cœur des convertis ou des candidats à la conversion ? Il n'en reste pas moins que le christianisme commença à se mondialiser à cette époque, dans un mouvement qui se continue encore de nos jours.

La difficile tolérance de l'autre

L'expansion du protestantisme plongea l'ensemble de l'Europe dans une suite de guerres civiles à saveur religieuse. L'ampleur de ces conflits et les faibles résultats que donna aux protagonistes le recours à la force amenèrent les Européens à se pencher sur l'idée de tolérance effective de l'autre. Mais cette notion ne triompha que très lentement, et très partiellement, au cours des XVIIe et XVIIIe siècles.

L'idéal perdu de la concorde

Dans les sociétés européennes du début du XVIIe siècle, les communautés religieuse et civile étaient étroitement liées. La solidarité indispensable pour faire face aux aléas de la vie quotidienne devait se retrouver dans les mondes social, politique, économique et de la foi. Qui venait la troubler devenait une menace pour l'ensemble de l'ordre social, qui reposait sur l'unanimisme. La nécessité de convertir celui qui ne partageait pas les croyances religieuses de la majorité, ou de s'en débarrasser, résultait de cette obligation communautaire. Toutefois, au cours du XVIe siècle, on se rendit progressivement compte que la condamnation d'un hérétique au bûcher — les flammes purifiant l'air des corruptions et pollutions inhérentes à l'hérésie — avait d'abord et avant tout comme conséquence de donner un martyr de plus à l'Église combattue. La foi des survivants n'en était que renforcée. La question se posait donc avec encore plus d'insistance : comment venir à bout de l'intolérable ? Si la force ne donnait aucun résultat, il fallait se tourner vers la douceur.

Un texte célèbre allait symboliser cette approche : l'édit de Nantes. Henri IV promulgua ce texte au printemps 1598 pour mettre un terme aux guerres de religion qui divisaient la France depuis 1562. L'objectif qu'il poursuivait était clair : « maintenir la tranquillité dans son royaume et [...] diminuer l'aversion qui était entre ceux de l'une et de l'autre religion, afin d'être en état de travailler, comme il avait résolu de le faire, pour réunir à l'Église ceux qui s'en étaient si facilement éloignés ». Celui qui s'exprimait ainsi était Louis XIV qui, en 1685, jugeant que l'édit de Nantes avait donné les résultats escomptés, crut bon de le révoquer. La France n'avait plus besoin de tolérer sur son sol une minorité qui, au dire du Roi-Soleil, était devenu virtuelle. L'idéal de concorde s'était-il réalisé ? Pas plus en France qu'ailleurs en Europe. Pourtant, les gouvernements avaient multiplié les efforts — pacifiques autant que brutaux — en ce sens.

Ainsi, l'Espagne chercha à venir à bout de ses minorités mauresque et judaïsante au cours du XVIIe siècle. En 1609, lorsqu'ils furent expulsés du territoire espagnol, les Maures comptaient pour 5 % de la population totale. La couronne s'était efforcée de les assimiler après la guerre de Grenade (1568-1570) en les dispersant de force dans tout le royaume de Castille. L'opération fut vaine, les populations qu'elle visait se regroupant rapidement dans les principales villes de la région. Là, ils pratiquaient clandestinement l'islam en respectant ses principaux rites, sauf les plus compromettants comme la circoncision des garçons. Toutefois, la fidélité au vêtement traditionnel, l'utilisation d'une langue particulière, sorte d'arabe hispanisé, et les invocations continuelles au Prophète les empêchaient de se fondre dans la masse chrétienne.

Les mêmes remarques peuvent s'appliquer aux juifs. Les judaïsants espagnols avaient dû choisir en 1492 entre la conversion et l'exil. L'Inquisition avait par la suite pourchassé ceux qui manifestaient un peu trop ouvertement leur attachement à la religion et aux coutumes de leurs ancêtres. Au début du XVIIe siècle, malgré la persistance de problèmes importants, leur cas semblait donc réglé. Mais de nombreux juifs portugais fuyèrent à cette époque l'Inquisition très dure menée dans leur pays et vinrent se réfugier en Castille. Les persécutions recommencèrent donc : 3 171 judaïsants firent l'objet de procès entre 1614 et 1700. On assista à de grands autodafés à Cordoue en 1655 et 1665, à Séville en 1660, à Llerena en 1662. Encore une fois, l'obligation de vivre selon une foi qui exigeait la pratique de rites étrangers au catholicisme (ne pas commercer, s'abstenir de voyager, ne pas soulever un fardeau durant le sabbat, consommer de la viande kascher) amenait les juifs à l'extérieur de la communauté chrétienne.

Il y avait en Europe à cette époque une exigence d'unanimisme, de conformité à la religion officielle. Cela pouvait, par exemple, se voir dans un pays strictement protestant tel l'Angleterre. Les souverains qui fondèrent l'anglicanisme au cours du XVIe siècle firent adopter un livre de prières communes par le biais d'un Acte d'uniformité (1549 et 1559) qui établit la liturgie anglicane. L'Acte de suprématie (1534 et 1559) proclamait le roi d'Angleterre chef de son Église nationale. Ne pas se conformer à celle-ci devenait ainsi un défi lancé à l'autorité royale. Malgré les prises de position officielles accompagnées de gestes visant à les faire respecter, les Anglais ne purent atteindre la concorde religieuse. Plusieurs filiations du protestantisme se développèrent — arminianisme, congrégationalisme, quakerisme et autres — et luttèrent contre les tenants de la tendance dominante. Leurs adeptes étaient exclus de la vie politique. Lorsque Jacques II, lui-même catholique, publia en avril 1687 sa « Déclaration d'indulgence » qui garantissait à tous ses sujets, quelle que fût leur religion, des droits civiques dont celui de remplir des fonctions officielles, il ouvrit la voie à la révolution de 1688.

Une tolérance s'était pourtant établie dans certains États, bien que non basée sur le droit. L'exemple le plus patent de ce fait se retrouvait aux Pays-Bas. Au début du XVIIe siècle, les calvinistes qui dominaient la scène politique étaient minoritaires : ils représentaient peut-être de 10 à 20 % de la population totale. Ils n'étaient donc pas en mesure d'interdire tant aux catholiques qu'aux autres groupes protestants la pratique de leur religion. Mais cette pratique ne devait pas être ouverte. Le culte catholique, officiellement interdit, se pratiquait à la nuit tombée, sans ostentation et sans que ses adeptes ne cherchassent à convertir leurs compatriotes. Cantonnées dans la sphère privée, les convictions religieuses ne mettaient pas en danger l'ordre public et devenaient acceptables.

Tolérer la tolérance

Les débats sur la tolérance qui secouèrent l'Europe aux XVIIe et XVIIIe siècles allaient le plus souvent être liés à des questions de nature politique ou économique que de nature religieuse. Le fait ne doit pas surprendre. Dès les débuts de la Réforme, de nombreux princes allemands avaient vu dans le protestantisme une occasion de s'émanciper de la tutelle de l'empereur catholique, pendant que les intellectuels y trouvaient une occasion d'échapper à l'hégémonie de la culture italienne qui se manifestait depuis la Renaissance. À l'intérieur de l'Empire, les États luttèrent pour faire accepter leur choix religieux. En 1555, la paix d'Augsbourg partagea l'Empire entre les confessions catholique et luthérienne, mais imposa l'unanimisme au sein de chaque territoire. Les princes locaux devaient choisir leur foi, à laquelle leurs sujets étaient tenus d'adhérer. Cette acceptation de la différence fut combattue par les empereurs catholiques, qui s'efforcèrent d'imposer leur religion à tous les Allemands. Mais, au terme de la guerre de Trente Ans, le traité de Westphalie reconnut les droits religieux des protestants. Ces derniers obtinrent notamment un droit de veto lors de votes sur des questions religieuses portées à l'attention des diètes impériales.

En Hollande, les habitants furent rapidement sensibilisés à l'impact économique de la coexistence religieuse. En 1619, les habitants de Leyde signalèrent à leurs compatriotes « que la liberté de conscience a contribué à accroître [...] la richesse et le nombre d'habitants » de ces régions, et que « ceux qui sont gouvernés par des méthodes différentes perdent leurs habitants, leur commerce et leur prospérité ». Les Pays-Bas se retrouvèrent au premier rang des « refuges religieux » qui allaient accueillir les Européens persécutés en raison de leur foi aux XVIIe et XVIIIe siècles. De nombreux Anglais fuyèrent ainsi leur pays entre 1608 et 1611 pour se réfugier à Amsterdam, Leyde ou Middelburg. Les Pays-Bas, avec dans une moindre mesure la Prusse, devinrent également le refuge des protestants français qui durent quitter le royaume après la révocation de l'édit de Nantes en 1685. La tolérance, avant d'être religieuse, fut civile. Lentement se développa l'idée qu'il était possible d'accepter un individu au sein d'un État sans nécessairement souscrire à sa religion.

En 1667, John Locke publia l'*Essai sur la tolérance* et, en 1689, la *Lettre sur la tolérance*. Dans ces deux textes, il relativisait la vision qu'une Église avait d'elle-même : « Chaque Église est orthodoxe à ses yeux et dans l'erreur ou hérétique à ceux des autres Églises ». L'État devait reconnaître ce fait et accepter sur son territoire les croyances qui ne venaient pas troubler l'ordre public et qui respectaient les liens unissant les Anglais à la société civile. Étaient donc exclus de cette ouverture les athées, individus sans morale en qui nul ne pouvait avoir confiance, et les catholiques qui devaient obéir à un prince étranger, le pape, et qui *de facto* se plaçaient hors société. D'ailleurs, le *Test Act* de 1673 obligeait les serviteurs de la couronne à reconnaître le roi d'Angleterre comme chef de son Église et à communier périodiquement selon le rite officiel. Cette loi, qui ne fut abrogée qu'en 1829, empêchait les catholiques de détenir un emploi dans la fonction publique.

La relativisation de la vérité religieuse que l'on a retrouvée chez Locke va se manifester d'une façon plus large chez les philosophes des Lumières. L'homme étant par nature pétri d'erreurs, il fallait être charitable et accepter les défauts de ses semblables. De ce postulat découla un questionnement au sujet des religions organisées, structurées autour d'un dogme auquel tous les fidèles devaient adhérer. N'étaient-elles pas, par nature, intolérantes ? Ne l'avaient-elles pas prouvé à maintes reprises en exerçant une répression sauvage contre qui n'adhérait pas à leur doctrine ? Les grands philosophes renvoyèrent, sur ce sujet, catholiques et protestants dos à dos.

Mais les philosophes étaient-ils eux-mêmes tolérants ? Prenons le cas de Voltaire, reconnu comme le plus grand chantre de la tolérance. Exilé en Angleterre, il y remarqua qu'« Un Anglais, comme homme libre, va au Ciel par le chemin qu'il lui plaît. » La multiplicité des religions qu'il y retrouva garantissait leur coexistence pacifique. Selon lui, « S'il n'y avait en Angleterre qu'une religion, le despotisme serait à craindre ; s'il y en avait deux, elles se couperaient la gorge ; mais il y en a trente, et elles vivent en paix et heureuses. » Dans le lot, la secte des quakers lui apparut plus admirable que les autres. Se disant directement inspirés de l'Esprit saint, les quakers n'avaient pas besoin de développer une théologie, un dogme ; ils vivaient sans hiérarchie ecclésiastique, sans sacrement — même pas le baptême. Ils ne pouvaient donc être que tolérants. Tout venant directement de Dieu, qu'avait-on besoin des Églises, source de fanatisme et donc d'intolérance ? Le combat pour la tolérance passait naturellement par l'intolérance à l'égard des intolérants ! L'*Encyclopédie* était d'ailleurs claire sur ce point, elle qui appelait les princes, au nom de la paix et de la tranquillité de leur État, à expulser de leur territoire ceux qui ne cherchaient qu'à endoctriner les sujets.

Ainsi, la tolérance philosophique avait des limites. Il s'agissait d'une cause qu'il fallait défendre avec acharnement contre ses adversaires. Combat contre la religion chrétienne, combat contre toute religion — le mouvement portait en lui-même le carcan qu'il voulait imposer aux autres. Mais, passant outre à ces contradictions, les Européens acceptèrent une ouverture progressive sur les autres qui, bien souvent, se vit dans la pratique bien avant d'être inscrite dans les lois. Les Français, les Anglais, les Allemands et les Hollandais du XVIIIe siècle étaient, sans peut-être qu'ils s'en rendissent pleinement compte, portés par un profond courant d'ouverture sur le monde, ou plutôt sur les mondes, qui avait pris naissance au XVIe siècle. Ils devenaient ainsi animés par un réalisme qui s'opposait aux révélations chères aux religions. Les intérêts individuels acquéraient plus d'importance que l'ancienne appartenance au groupe qui, avant la Réforme, faisait la force du catholicisme. Cette tendance affecta profondément le monde intellectuel européen des XVIIe et XVIIIe siècles.

CHAPITRE V

Les mondes intellectuels

La Renaissance se termina par des crises douloureuses qui affectèrent plusieurs pays d'Europe et déchaînèrent les passions. Ces conflits virent le chaos s'imposer en roi et maître. Les élites n'eurent d'autre choix que d'essayer par la suite de réordonner leur univers.

Autorité, moralité, sexualité

Le grand bouleversement de la fin du XVIe se manifestait dans les conflits religieux, le recul démographique, les guerres interétatiques, la pression fiscale, les révoltes populaires ou nobiliaires. Pour se protéger de tous ces maux, l'homme élabora une morale axée sur le monde social plutôt que divin.

Morale et discipline

La religion catholique avait beaucoup souffert au cours du XVIe siècle. Les découvertes territoriales et les avancées philosophiques mirent à mal l'omniscience et l'omniprésence religieuses. L'individualisme émergent venait en contradiction avec les valeurs de charité et de partage prêchées par Rome ; il minait le monde communautaire dont l'Église était un des piliers. Finalement, la Réforme proposait aux fidèles d'appréhender d'une façon différente l'univers de leur foi.

Dès le début du XVe siècle, l'Italie renaissante se détacha du modèle religieux pour se rapprocher de son passé romain. Ce fut là, cette fois au XVIe siècle, qu'un nouveau courant moral émergea, grâce au livre publié en 1528 par Baldassare Castiglione : *Le Parfait Courtisan*. Cet ouvrage, qui n'avait plus rien à voir avec le divin, proposait une morale située dans la société. Il s'agissait d'un code de bonne conduite devant guider les hommes et les femmes qui se côtoyaient dans les cours princières d'Italie. La morale qui se dégageait de ce texte reposait sur une stricte discipline des passions. Les femmes étaient les premières visées par ce discours, car on tenait que, plus facilement que les hommes, elles devenaient victimes de leurs élans incontrôlés. D'ailleurs, on croyait que les passions féminines les rendaient inaptes à la vie politique. Le contrôle de l'État devait revenir à un homme, au même titre que la femme devait être soumise à son mari au sein de la famille.

L'évolution d'une morale plus spirituelle vers une morale plus temporelle s'inscrivait dans un cadre politique précis. Les États prirent une dimension plus autoritaire aux XVIIe et XVIIIe siècles. S'immisçant davantage dans des domaines qui relevaient naguère du privé et non du public, cherchant à dominer des secteurs qui leur échappaient auparavant, les gouvernements s'efforçaient de discipliner les membres du corps social. Ils reçurent l'aide des élites dans cette démarche.

La société patriarcale

De nombreux Européens de l'époque se sont intéressés aux rapports entre les sexes. La plupart arrivaient aux mêmes conclusions : la fonction de l'homme, telle que voulue par la nature, était publique, celle de la femme était privée. Selon Jean-Jacques Rousseau (1712-1778), l'état de la femme était d'être mère. De nombreux médecins appuyaient cette façon de voir et notaient que leur anatomie prédestinait les femmes à ce rôle. Cette fonction maternelle était jumelée à une faiblesse physiologique. En effet, on pensait que l'utérus dominait complètement le corps féminin, « disposait d'elles », disait Denis Diderot, en suscitant dans leur imagination « des fantômes de toute espèce ». La nature leur imposait une vie moins active, un état passif.

Cette perception ne se contenta pas d'être livresque. Des mesures furent prises pour concrétiser ces idées dans la réalité quotidienne des Européens. Cela fut visible principalement dans l'institution du mariage et le contrôle de la formation des familles. Celles-ci furent placées sous la supervision parentale et l'autorité juridique des parlements. Le mariage se laïcisa à cette époque, avec la bénédiction de l'État. Les autorités publiques accordèrent la supériorité aux règles laïques sur les règles canoniques en la matière. Les alliances furent réglées en fonction des intérêts des familles, et au détriment de ceux de l'Église ou des enfants. Ainsi, les mariages clandestins, valides à titre religieux, furent décrétés illégaux sur le plan civil. Différentes mesures furent adoptées pour renforcer le consentement parental obligatoire. Les règles de procréation furent également modifiées. On chercha à récompenser les bons mariages et les naissances légitimes, tout en s'attaquant au problème des naissances illégitimes. Les règles d'héritage furent modifiées au bénéfice des maris.

Les passions féminines pouvaient ainsi être plus facilement contrôlées par les hommes qui devaient garder la main haute sur leur mariage. La morale était protégée, la société était ordonnée et disciplinée. Les femmes acceptaient généralement cet état. On peut même dire qu'une partie de celles qui avaient une vie publique participaient activement au maintien de cette hiérarchie.

Salons et salonnières

Le salon se trouvait au cœur de la vie intellectuelle européenne. Généralement présidé par une femme, le salon octroyait à celle-ci une place centrale dans la vie de l'esprit. C'était d'abord un lieu de conversation où les membres de l'élite aristocratique et bourgeoise rencontraient hommes de lettres et de science. Il s'agissait aussi d'un lieu de sociabilité dans lequel hommes et femmes devaient adopter une conduite digne de la morale dominante. Les intrigues qui s'y nouaient étaient intellectuelles, et non amoureuses. Les discussions devaient se conformer à cette règle, les attitudes également, de même que les écrits qui y étaient présentés.

La deuxième moitié du XVIIe siècle vit les salons proliférer en France et gagner le reste de l'Europe. Les femmes, qui avaient joué un certain rôle dans la vie politique française lors de la Fronde, furent replongées dans la sphère privée après la défaite des grands nobles face à Louis XIV et Mazarin. Laissant de côté leurs armes, certains acteurs de ces guerres civiles adoptèrent la plume afin d'exprimer les différents sentiments qui les animaient. Le duc de La Rochefoucauld, un des principaux frondeurs, publia un recueil de maximes en 1664, qui en fit un des plus importants auteurs moralistes du XVIIe siècle.

Les salons permettaient aux femmes de participer à la vie culturelle du temps. Compagnes de l'esprit, elles avaient surtout pour rôle de faire briller leurs invités. Elles devaient être suffisamment instruites et intelligentes pour soutenir une conversation, pour pousser l'homme à approfondir ses réflexions et à poursuivre son œuvre. Si les salons furent un lieu de promotion féminine indiscutable, s'ils permirent aux femmes de participer à la sociabilité culturelle de l'époque, les rôles féminins n'en furent pas changés, les rapports entre les sexes pas plus bouleversés. Quelques femmes, comme Aphra Behn ou mademoiselle de Scudéry, réussirent à se tailler une certaine place au soleil intellectuel du temps. La vision satirique élaborée par Molière de ces « femmes savantes » témoignait toutefois de la difficulté pour le sexe féminin de percer ces milieux, même si elles jouèrent un rôle certain dans la diffusion des idées qui changèrent la culture européenne moderne, notamment celles concernant la révolution scientifique.

De la raison appliquée aux sciences

Vers la fin du XVIIIe siècle, Denis Diderot s'exprimait ainsi : « Le monde est trop éclairé pour se repaître plus longtemps d'incompréhensibilités qui répugnent à la raison, ou pour donner dans des merveilleux qui, communs à toutes les religions, ne prouvent pour aucune. » Il résumait ainsi une bonne partie du parcours intellectuel de l'Europe des XVIIe et XVIIIe siècles. En ouvrant de nouveaux horizons aux hommes, la Renaissance avait brisé d'anciennes certitudes. La remise en ordre du monde eut également un impact fondamental sur la connaissance et l'appréhension de l'univers.

À la recherche de certitudes

La structure du savoir, longtemps entretenue par les autorités ecclésiastiques, menaçait de s'écrouler au début du XVIIe siècle, en raison des avancées intellectuelles et scientifiques de la Renaissance. Quelques années plus tard, elle gisait en ruine. De plus en plus de scientifiques et de mathématiciens soutenaient que la connaissance passait d'abord et avant tout par l'observation systématique du monde naturel. Pour Francis Bacon, toute démarche scientifique devait commencer par une intuition à partir de laquelle, par le biais d'expériences diverses, il fallait remonter à des vérités vérifiables. Tout cela pouvait facilement sentir l'hérésie et mener au rejet des Églises.

Les autorités catholiques et protestantes gardaient l'œil bien ouvert sur une science qui pouvait secouer les anciennes bases du monde chrétien. À ce titre, l'aventure de Galilée est exemplaire. Le 12 mars 1610 parut à Venise un livre intitulé *Le Messager céleste*. Le jour même, l'ambassadeur anglais en envoyait un exemplaire à Jacques Ier en le prévenant que l'auteur « a renversé toute l'astronomie et toute l'astrologie [... et qu'il] en deviendra extrêmement célèbre, ou extrêmement ridicule ». En pointant sa lunette d'observation vers le ciel, Galilée s'était rendu compte que le paysage lunaire, avec ses montagnes et ses vallées, ressemblait au relief terrestre. Celui-ci n'était pas unique dans l'univers et les corps célestes n'étaient pas parfaits, comme on le croyait depuis des millénaires. Surtout, le professeur de l'Université de Padoue, en exposant les mouvements de Jupiter et de ses satellites, confirmait d'une certaine façon les idées avancées au siècle précédent par Copernic, qui avait proposé une vision héliocentrique de l'univers.

De telles observations avaient de quoi désarçonner les bons chrétiens : « Tout est en morceaux, toute cohérence disparue. » En s'exprimant ainsi en 1610, le poète John Donne traduisait le désarroi des Européens devant la disparition de réconfortantes certitudes, sous les coups des Copernic, Brahé, Kepler et Galilée du continent. Toutefois, tous ces penseurs restaient d'abord et avant tout des chrétiens qui cherchaient à fusionner leurs découvertes avec leur univers religieux. Galilée ne rejeta pas les Évangiles, qui représentaient le message de Dieu à son peuple. Mais la nature était son œuvre. L'Écriture offrait aux hommes les moyens de leur salut, sans pouvoir présenter toute la complexité de la construction divine. Sa lecture prêtait à interprétation, alors que la nature, elle, était immuable. Il fallait donc faire preuve d'extrême prudence lorsque l'on essayait de juger l'œuvre de Dieu à partir du simple texte. C'était, d'une certaine façon, dire aux théologiens que les scientifiques devaient avoir priorité lorsque venait le temps de se pencher sur les réalisations divines ! En 1633, Galilée, sous peine de condamnation par

Rome, dut officiellement abandonner les idées qu'il avait jusqu'ici défendues.

Les interrogations les plus profondes sur le sens de l'univers n'avaient pas rebuté Galilée. Malgré les appels à la prudence, il avait défendu ses idées et n'avait pas hésité à les soumettre au jugement romain. Ce genre de profonde remise en question allait devenir typique de l'époque. Ainsi, en 1637, le Français René Descartes osa douter publiquement de tout, même de la réalité de sa personne, même de Dieu. Il se trouva ainsi devant rien, sinon la réalité de l'esprit pensant. « Je pense, donc je suis. » De là, il allait découvrir « toutes les choses qui peuvent tomber sous la connaissance des hommes » en utilisant « ces longues chaînes de raisons toutes simples et faciles dont les géomètres ont coutume de se servir pour parvenir à leurs plus difficiles démonstrations ». Dieu, par définition, servait de garantie parfaite à la logique du procédé déductif. Descartes mit sa méthode au service d'une exploration de l'univers, dont il proposa une vision mécanique basée sur des calculs mathématiques. Son système physique reposait sur la compréhension des mouvements, du poids et de l'extension de la matière. Sa contribution essentielle au développement culturel et scientifique européen fut sa défense de la valeur universelle de la méthode mathématique dans le processus intellectuel. Il ouvrit ainsi la porte à ce que l'on appelle la révolution scientifique.

Chercher et classifier

Descartes avait proposé un système basé essentiellement sur la pensée. Il s'agissait d'une brillante construction de l'esprit qui, confrontée à une expérience empirique, ne pouvait que s'abîmer. La phase suivante des développements intellectuel et scientifique fut accomplie à partir d'expériences concrètes. De nouveaux instruments permirent de faire des découvertes étonnantes à cette époque. Les années 1600 virent apparaître le microscope, le télescope, le thermomètre, le baromètre, la pompe pneumatique et l'horloge de précision. Tous furent liés intimement au développement de la connaissance. Par exemple, la découverte des capillaires au microscope par Marcello Malphigi en 1661 vint confirmer les théories du médecin anglais William Harvey sur la circulation du sang dans le corps. Le Hollandais Antonie Van Leeuwenhoek révéla au monde l'existence des spermatozoïdes et de tout un univers imperceptible à l'œil nu. Mais la figure indissociable de la révolution scientifique demeure Isaac Newton.

Newton, comme l'ensemble des scientifiques de son époque, était tout à la fois astronome, physicien, chimiste. Mais son génie résidait surtout dans les mathématiques. Contrairement à bon nombre de ses collègues, il ne se contentait pas de calculs abstraits et de merveilleuses constructions logiques, mais sans bases empiriques ; il expérimentait. Ses travaux permirent de rassembler en un tout cohérent plusieurs faits qui, jusque-là, semblaient discordants. Par exemple, Johannes Kepler avait démontré que les orbites planétaires étaient elliptiques et ne formaient pas de cercles parfaits. Cette découverte semblait si bizarre que ni Galilée ni Descartes ne la reprirent dans leurs propres travaux. En exposant les principes de la gravitation et en posant le principe universel que les corps avaient tendance à s'attirer les uns les autres, Newton confirmait ce que Kepler avait avancé et permettait de l'inclure dans la réalité de l'univers. Le savant anglais avait aussi formulé une loi simple et unique capable d'expliquer à la fois la chute au sol d'une pomme se détachant d'un arbre, le mouvement des marées et la rotation des planètes autour du soleil. Il se rendit compte que la terre comme les cieux obéissaient aux mêmes lois, faisaient partie d'un même tout. Les hommes les avaient depuis toujours considérés comme deux choses complètement distinctes.

Les résultats de Newton ne furent pas facilement acceptés par les Européens. Particulièrement dérangeante était l'idée du vide existant entre les planètes.

Des savants comme Gottfried Leibniz ou Christiaan Huygens ne voyaient pas comment des corps qui n'avaient aucun contact entre eux pouvaient néanmoins influencer mutuellement leurs mouvements respectifs. Newton fut accusé de réintroduire dans sa vision de l'univers des forces occultes et mystérieuses, centrales dans les travaux des anciens savants grecs, alors que Descartes avait réussi à présenter un schéma du monde entièrement mécaniste. La fin du XVIIe siècle et le début du XVIIIe siècle furent marqués par des débats vigoureux entre les adeptes d'une vision entièrement mécaniste du monde, inspirée par Descartes, et les partisans de Newton. Voltaire, dans sa quatorzième lettre philosophique, les exposa en affirmant : « Un Français qui arrive à Londres trouve les choses bien changées en philosophie comme dans tout le reste. » Voilà « de furieuses contrariétés », dit-il, en notant, entre autres singularités, qu'« À Paris, vous vous figurez la terre faite comme un melon ; à Londres, elle est aplatie des deux côtés. »

Les idées des savants étaient rapidement diffusées à la grandeur du continent. Car il ne s'agissait pas uniquement de découvrir, il fallait également faire connaître ses résultats. À cet égard, les académies qui virent le jour au XVIIe siècle jouèrent un rôle essentiel. Leur but était d'échanger de l'information, de discuter de nouvelles idées, de réaliser en commun de nouvelles expériences et, surtout, de juger et de commenter des rapports soumis à leur attention par leurs membres ou des individus extérieurs à leur cercle. Des académies d'État furent mises sur pied dans les principales capitales européennes. À Saint-Petersbourg, l'*Academia Scientiarum Imperialis Petropolina* subventionnait des scientifiques tant russes qu'étrangers. L'Académie des sciences de Paris présida à la consécration de nouvelles disciplines telles la chimie, le magnétisme, l'électricité. De nombreuses villes de province, soucieuses d'imiter les capitales, se dotèrent d'institutions similaires.

Pour bien apprécier les travaux, il fallait s'entendre sur ce dont on parlait. Les échecs de l'élaboration d'une langue universelle, prônée particulièrement par George Dalgarno et Johns Wilkins, ouvrirent la voie à des efforts de classification et de présentation claires des connaissances. C'est ainsi qu'au XVIIIe siècle le botaniste suédois Carl von Linné mit sur pied une classification des plantes toujours en usage de nos jours. Son système binaire était calqué sur l'appellation des êtres humains avec leur prénom et leur nom de famille : le premier terme identifiait le genre de la plante, le second distinguait l'espèce parmi toutes celles du même genre. Quant à la diffusion du nouveau savoir, elle se fit notamment par le biais des premiers journaux scientifiques qui apparurent au XVIIe siècle et par la publication de différents atlas qui répertoriaient les connaissances nouvelles. Tous ces travaux permirent à l'homme de s'émanciper lentement, mais sûrement, des anciennes autorités. Francis Bacon, au début du XVIIe siècle, proposa deux arbres des connaissances, le premier représentant le savoir divin, le deuxième le savoir humain. Diderot et d'Alembert, les auteurs de l'*Encyclopédie,* n'en retinrent que celui qui concernait l'homme.

Les Lumières et la politique

L'insistance mise par les scientifiques du XVIIe siècle sur les expériences nécessaires à la compréhension des rouages de l'univers ne pouvait qu'influencer la perception que l'on avait de l'homme, qu'amener une réflexion sur sa place et son développement dans cet univers. Les philosophes des Lumières se penchèrent avidement sur ces questions. Leurs propositions de réponses vinrent souvent heurter de front les autorités en place. Toutefois, il serait erroné de voir dans chacun de ces penseurs un révolutionnaire en herbe.

L'égalité entre les hommes

Si les scientifiques apprenaient à connaître l'univers sensible par le biais d'expériences diverses, ne pouvait-on dire que l'homme faisait de même pour son propre monde ? Telle était l'essence de la question qui amena John Locke à affirmer que l'homme, à sa naissance, ne possédait aucune idée innée, pas même celle de Dieu. Dans son *Essai sur l'entendement humain,* publié en 1690, il avança que l'homme acquérait progressivement la raison et le savoir grâce aux différentes expériences qu'il vivait. Les conséquences d'une telle position étaient énormes. Cela signifiait que les hommes naissaient fondamentalement égaux, puisque tous avaient alors l'esprit vide. Leur vie était modelée par les circonstances qui, par nature, étaient diverses. Il n'était donc pas possible d'espérer que l'être humain obéisse à des règles générales, puisque le parcours des uns et des autres dépendait de leurs expériences personnelles. Il fallait donc être prêt à tolérer les différences de coutumes et d'opinions.

L'idée égalitaire, dans laquelle on voit souvent une des principales contributions des Lumières à l'avancement humain, ne fut pourtant pas parmi les plus chaudement discutées au XVIIIe siècle. Il faut se rendre compte que le christianisme prêchait depuis toujours une certaine égalité entre les hommes. Le thème était également central dans la littérature utopique, abondante à cette époque, qui révélait fréquemment la nostalgie d'un âge d'or malheureusement disparu. À ce titre, les idées égalitaires pouvaient passer pour des rêves impossibles de retour à un passé qui n'existait plus. Elles s'opposaient ainsi aux idées fortes de progrès et de réforme chères aux Lumières.

Ces considérations n'empêchèrent pas Jean-Jacques Rousseau de s'attaquer à cette question. Son *Discours sur l'origine et les fondements de l'inégalité parmi les hommes* (1755) et *Du contrat social* (1762) reposent sur l'idée que tous les hommes naissent fondamentalement bons, et donc sur un même pied d'égalité, mais que la société les corrompt. Rousseau affirmait que le contrat social qui régit les relations entre gouvernants et gouvernés était vicié tant dans sa forme que dans son fond. Créé dans la duplicité et la fraude, ce contrat n'était que la matérialisation d'une conspiration des riches pour asservir les pauvres. À l'origine, les hommes vivaient dans la simplicité et au contact de la nature. Pour sortir de la spirale de décadence dans laquelle l'Occident était plongé, il fallait, selon Rousseau, retourner vers la nature pour y retrouver ce qui représentait « le plus grand bien de tous, qui doit être la fin de tout système de législation, [... qui] se réduit à deux objets principaux, la *liberté* et l'*égalité* ». Mais jusqu'où pousser cette idée ? L'égalité devait-elle être politique et, ainsi, s'ouvrir à la démocratie ?

La vision du politique

La pensée des Lumières face au monde politique s'inscrivait dans un cadre étatique qui tendait vers l'absolutisme. Mais cette évolution de la sphère publique venait en contradiction avec les nouvelles visions de la sphère privée. Dans son *De jure belli ac pacis* (Du droit de la guerre et de la paix) publié en 1625, le Hollandais Hugo Grotius avait analysé les différents droits régissant la vie de l'homme en société : droit du plus fort (ou raison d'État), droit coutumier, maximes philosophiques généralement admises, droit romain et droit divin. Puis il chercha une base générale commune, qu'il trouva dans le droit naturel fondé sur la coexistence des hommes. Celui-ci reposait sur cinq grandes lois fondamentales : le respect de la propriété privée, l'obligation de payer une rétribution pour un bien acquis, l'obligation de tenir ses promesses, l'obligation de réparer les dommages causés à un tiers, la punition des infractions à ces principes du droit naturel. De telles idées heurtaient de front l'absolutisme.

Sous Louis XIV, Fénelon écrivait déjà que « le pouvoir absolu fait autant d'esclaves qu'il a de sujets ».

Selon lui, le roi, pour être digne de gouverner, devait s'effacer devant le bien public et savoir se sacrifier dans l'intérêt de ses sujets. Or, le Roi-Soleil ne correspondait pas vraiment à cet idéal. Dans ses *Lettres persanes* publiées en 1721, Montesquieu écrivait ceci à son sujet : « Ce roi est un grand magicien : il exerce son empire sur l'esprit même de ses sujets ; il les fait penser comme il veut. » Les penseurs du XVIIIe siècle allaient chercher à s'assurer que les souverains soient à l'écoute de leur peuple. Les réponses allaient venir d'Angleterre.

Le royaume anglais avait vécu deux révolutions au cours du XVIIe siècle, qui avaient eu comme résultat l'établissement d'un certain équilibre, à défaut d'un équilibre certain, dans l'exercice du pouvoir entre le roi et le Parlement. Il fallait transplanter cette réalité dans l'ensemble du paysage européen. Montesquieu joua ici un rôle fondamental. S'appuyant sur une analyse historique très poussée, il développa ses idées politiques dans *De l'esprit des lois,* publié en 1748. Montesquieu crut voir dans le modèle anglais une véritable séparation des pouvoirs : selon lui, le roi représentait l'exécutif, la Chambre basse le législatif, et la Chambre haute le judiciaire. Cette vision était fausse, puisque les lords anglais n'étaient pas maîtres de l'appareil judiciaire. Toutefois, l'idée centrale de son livre résidait dans le possible contrôle à exercer sur les volontés absolutistes du monarque. Le modèle monarchique n'était pas remis en question par l'auteur, il était cependant conjugué aux libertés individuelles. Ces dernières devaient s'appuyer d'abord sur une Constitution. Puis, des lois pénales dignes et bien appliquées garantissaient la sûreté de tous, tandis que les impôts devaient respecter le patrimoine de chacun.

À partir de telles idées, les rapports entre les hommes, et entre les hommes et les pouvoirs publics, ne pouvaient que se construire de façon radicalement nouvelle. L'ensemble politique et social reposait sur un système qui s'était développé au fil des temps et qui s'officialisait par le biais d'une Constitution. Or, l'ensemble des pays européens ne s'étaient pas dotés d'un tel texte fondamental. On assista dès lors à l'élaboration de deux concepts qui allaient devenir essentiels pour le reste de l'histoire européenne. Premièrement, la nation commença à se définir comme un sujet souverain dont la légitimité se basait sur une longue historicité et qui possédait des droits constitutionnels intrinsèquement reliés à son existence. Deuxièmement, la Constitution fut de plus en plus perçue comme le texte de base, le « règlement fondamental » régissant les activités politiques. Lorsqu'il n'y avait pas de texte constitutionnel, il fallait en rédiger un. Ce sera l'obsession des révolutionnaires français, ce sera également une des premières réalisations des révolutionnaires américains.

La participation publique

Toutes ces idées et ces valeurs exigeaient évidemment, pour devenir réalité, que le public devienne partie intégrante de la vie politique. Or, sauf exception, la population en général avait bien peu de choses à dire à ce sujet dans l'Europe de l'Ancien Régime. Il n'empêche que ce fut au cours du XVIIIe siècle qu'apparut, dans les différentes langues européennes, l'expression « opinion publique ». Concrètement, l'opinion publique devint progressivement un acteur de premier plan sur la scène politique, un élément potentiellement unificateur de la plus grande importance, mais, surtout, un élément d'opposition aux pouvoirs établis.

Depuis la mise au point de l'imprimerie, au XVe siècle, les Européens étaient devenus, presque malgré eux, partie prenante de la vie publique. Dans le cadre de conflits civils ou extérieurs, les protagonistes s'efforçaient d'expliquer leurs prises de position, de légitimer leur action et de recruter des partisans. Le pamphlet s'avéra ainsi un outil politique de premier ordre. Il permettait de toucher les lecteurs et les analphabètes à qui on le lisait, d'attiser leurs émotions, d'éveiller leur intelligence. Mais l'opinion publique était d'abord l'opinion éclairée. Il n'était pas important de toucher un paysan, considéré comme un non-sujet sur le plan politique. Ceux qu'il fallait viser étaient les décideurs, ou à tout le moins les influents, ceux qui possédaient la capacité de comprendre et d'agir. À ce titre, l'opinion publique, au moins jusqu'au milieu du XVIIIe siècle, ne pouvait représenter dans une société donnée que quelques milliers d'individus, ceux que l'on considérait être « la meilleure partie de la société ».

L'écrit représentait la meilleure façon d'influencer ces gens. Les philosophes allaient profiter des journaux pour transmettre leurs idées et rejoindre leur public. Mais, au début du XVIIIe siècle, la liberté de presse n'existait pas en Europe. L'Angleterre et les Pays-Bas bénéficiaient d'une liberté relative à cet égard, bien que combattue souvent par le pouvoir en place. Ainsi, en Angleterre, pendant près de 50 ans, soit de 1720 à 1771, le Parlement s'efforça d'empêcher les journaux de rendre compte de ses débats. Ailleurs sur le continent, chaque publication devait obtenir des autorités compétentes un privilège autorisant sa parution et soumettre ses textes à la censure gouvernementale. Il était toujours possible de contourner de tels irritants. Ainsi, de nombreuses gazettes destinées à des pays où sévissait la censure étaient publiées aux Pays-Bas, puis introduites clandestinement dans ces pays.

Une *gazette* donnait généralement des nouvelles en provenance de l'étranger, sans commentaires ou analyses. Le *journal* était alors une publication dans laquelle on commentait l'actualité savante, et notamment la parution des nouveaux livres. Progressivement, les journaux suivirent une tendance davantage politique. En Angleterre, ils prenaient ouvertement parti pour l'une des deux familles politiques : les whigs d'un côté, les tories de l'autre. Le modèle fut progressivement copié ailleurs. Ainsi, ce fut à partir des années 1770 qu'apparurent en Allemagne des publications proposant à leurs lecteurs de discuter des affaires d'État. Le nombre de journaux augmenta de façon sensible durant tout le siècle. Dans la décennie 1700, 64 titres étaient publiés en Allemagne, certains n'étant qu'éphémères. Dans la décennie 1740, ce nombre passa à 260. De 1761 à 1771, il augmenta à 410, pour atteindre 718 dans les années 1770 et 1 225 durant la dernière décennie du siècle.

Parallèlement, la législation sur la censure s'assouplit ici et là. En 1781, dans un édit sur la question, l'empereur d'Autriche Joseph II affirma qu'aucune critique ne devait être interdite à l'avenir, même celle visant le souverain, pourvu qu'elle ne soit pas diffamatoire. Comme tout ce qui était lié au despotisme éclairé, le but de Joseph II était intéressé. Il ne s'agissait pas d'une liberté complète accordée à tous, mais plutôt d'un espoir que les plumes, soustraites à la censure qui se trouvait souvent sous la coupe d'ecclésiastiques, allaient contribuer à la propagation des idéaux des Lumières et au renforcement de l'État. La liberté de bien faire était octroyée dans un cadre qui ne devait pas mener à l'anarchie.

Mais il fallait également s'assurer que les hommes soient en mesure de bien assimiler les messages des philosophes. À ce titre, beaucoup d'attention fut accordée à l'éducation des individus. Une éducation qui devint laïque, alors que jusque-là elle se retrouvait bien souvent sous le contrôle des Églises et particulièrement, dans les pays catholiques, des jésuites. La Compagnie de Jésus fut abolie par le pape en 1773 (elle sera rétablie par le pape Pie VII en 1812), ce qui secoua profondément le monde de l'éducation. Les jésuites comptaient environ 22 000 membres en 1750, et 15 000 d'entre eux enseignaient aux enfants de l'élite dans 669 collèges et 163 séminaires répartis en Europe et en Amérique du Sud. Les États durent combler le vide, responsabilité d'autant plus grande que, nous l'avons vu, à partir de Locke, de plus en plus de penseurs devinrent convaincus que l'homme naissait vide de savoir et de connaissances. Il devenait donc possible de le former, de le modeler à l'aune des nouvelles réalités philosophiques. Évidemment, la pensée à ce sujet s'inscrivait dans le cadre de l'époque. Il n'était pas question de donner à un paysan les moyens et les possibilités de devenir ministre principal du roi. Il fallait plutôt assurer à chacun la réussite de sa destinée naturelle, dans le cadre social à l'intérieur duquel avait eu lieu la naissance.

L'enfant était maintenant considéré comme un être, une personnalité en développement. Il n'était plus le « petit homme » de jadis. Jean-Jacques Rousseau, dans l'*Émile* (1762), développa son idée maîtresse selon laquelle « tout est bien lorsqu'il quitte les mains du créateur, tout se corrompt dans les mains de l'homme ». Il fallait donc, selon lui, agir avec l'enfant en fonction de son stade de croissance. De 5 à 12 ans, le jeune se trouvait dans sa période prérationnelle, les sens prédominaient et l'éducation devait alors faire appel à l'expérience concrète. De 12 à 15 ans, les problèmes et questions exigeant des qualités intellectuelles pouvaient être abordés. Puis venaient l'introduction à la moralité et, finalement, la découverte de la sexualité. Convaincu qu'une éducation naturelle était la meilleure pour l'enfant, Rousseau insista énormément sur la responsabilité des parents à cet égard. À ce titre, il s'attaqua notamment de façon virulente au recours aux nourrices, qui isolait l'enfant en bas âge de la cellule familiale.

L'Encyclopédie

Des collèges laïques, des parents sensibles à l'éducation de leurs enfants, tout cela pouvait contribuer puissamment à la diffusion des idées des philosophes. Mais ces derniers mirent au point des outils qui devaient également servir leur cause. Le plus célèbre d'entre eux fut sans nul doute l'*Encyclopédie* élaborée sous la gouverne de Denis Diderot. Celui-ci était connu pour ses romans licencieux et pour les vues religieuses hétérodoxes qu'il avait exprimées dans *La Lettre sur les aveugles à l'usage de ceux qui voient* (1749) ou *La Religieuse* (1796). Pour lui, croire en Dieu « n'était pas quelque chose de très important ». Mais c'était surtout un individu assoiffé de savoir. Aidé par Jean Le Rond, dit d'Alembert, il fit paraître en 1751 le premier volume de ce que l'historien américain Robert Darnton a appelé l'entreprise la plus extraordinaire du XVIIIe siècle.

Depuis le XVIIe siècle, les hommes avaient pris l'habitude de présenter dans des dictionnaires les grandes réalisations des savants. Le *Dictionnaire universel* (1690) d'Antoine Furetière fut l'un des premiers succès de ce genre. Il inspira d'ailleurs le *Lexicon technicum* publié par John Harris en 1704 et le *Theatrum machinarum* du Leipzigois Jacob Leupold, sorti des presses vingt ans plus tard. Par ailleurs, des dictionnaires d'autres types existaient également, tel le *Grand Dictionnaire historique* de Louis Moreri et le *Dictionnaire historique et critique* publié par Pierre Bayle en 1697. L'œuvre de Diderot se fonda sur de telles publications. Celui-ci fut en effet embauché en 1747 pour diriger une traduction française de la *Cyclopaedia* de l'Anglais Ephraïm Chambers. Mais les limites de cet ouvrage horrifièrent le philosophe, qui décida alors d'élaborer sa propre encyclopédie.

En 1752, plus de 4 000 souscripteurs avaient reçu leurs deux premiers volumes. L'édition originale et les réimpressions qui suivirent touchèrent 25 000 souscripteurs. La moitié d'entre eux vivait à l'extérieur de la France. Quelque 160 collaborateurs écrivirent 72 000 entrées. On comptait également 2 500 planches. Le tout était réuni en vingt-huit volumes in-folio. Cette entreprise gigantesque était cependant très contestée en raison de certains propos tenus par leurs auteurs, accusés, entre autres tares, d'irreligion et d'inexactitude.

L'*Encyclopédie* de Diderot déconcerte le lecteur moderne habitué à une présentation objective, factuelle et impersonnelle des articles. Les figures de style étaient nombreuses, les effets de langage fréquents. La sélection des entrées s'effectuait de façon arbitraire. En fait, tout ce qui intéressait Diderot y trouvait une place. La science, les mathématiques et les sujets techniques étaient les plus souvent abordés, alors que la politique et la religion n'étaient fréquemment traitées que de façon indirecte. L'ouvrage démontrait ainsi les centres d'intérêt des philosophes de cette époque, révélait également une nouvelle façon d'envisager l'évolution de l'humanité. En effet, les auteurs estimaient que leur œuvre était continuellement en progrès. De nouveaux volumes devaient s'ajouter à ceux déjà publiés, au fur et à mesure de l'accumulation des connaissances humaines. Voilà un signe indiscutable que l'homme du XVIIIe siècle était convaincu que le savoir n'était jamais définitif.

Politique, religion, science, l'homme et la femme, la nature : les philosophes des Lumières touchaient à tout. Leur œuvre était très diversifiée. Mais tous les penseurs n'étaient pas des Voltaire ou des Diderot, tous les lecteurs ne se tournaient pas vers l'*Encyclopédie* ou *Des délits et des peines,* comme le démontre la popularité des livres pornographiques au XVIIIe siècle. L'individualisation et le rejet progressif de l'autorité, lignes de force de la période moderne, permirent à des individus d'envahir la scène publique et de pervertir les messages chers aux grands penseurs du temps. Si, au début du XVIIe siècle, on s'était lancé à la recherche d'un certain ordre, cette quête ne tenait plus quelque 200 ans plus tard. Le respect des autorités religieuse, politique et sociale était renversé par un nouvel attrait, celui du secret, de l'interdit, du défendu. La fin de l'époque moderne vit le triomphe de valeurs individuelles sur les anciennes règles de conduite dictées par les groupes et les autorités.

Conclusion

La fin de l'Ancien Régime fut fracassante. La France de Louis XVI était aux prises avec des difficultés financières qui semblaient insolubles à l'aune des pratiques gouvernementales de l'Ancien Régime. Le roi, faible, ne jouissant pas de la confiance populaire, se montra incapable d'imposer au royaume les réformes dont celui-ci avait besoin. Il décida alors de réunir les représentants de ses sujets dans le cadre d'états généraux. Tous s'attendaient à ce que des changements soient apportés au gouvernement. Influencés par les idées des Lumières, nombreux étaient ceux qui réclamaient que le royaume se dote d'une Constitution. Personne ne croyait toutefois que l'assemblée tenue à Versailles allait se transformer en Assemblée nationale, encore moins qu'elle allait présider, non pas à des réformes nationales, mais à une révolution qui allait gagner l'ensemble de l'Europe.

Le continent pouvait-il faire l'économie de ce bouleversement gigantesque ? Il est impossible de l'affirmer. L'Ancien Régime avait été le témoin de nombreuses évolutions. Sur le plan politique, s'il est vrai que les gouvernements étaient devenus plus centralisés et davantage autoritaires, ils avaient tout de même pris conscience de la nécessité de répondre, au moins partiellement, aux besoins de leur population. Les campagnes avaient commencé à s'ouvrir tranquillement à l'économie de marché, ce qui avait pour conséquence d'affaiblir l'ancienne structure sociale communautaire. Le commerce colonial avait révélé des horizons nouveaux aux citadins et favorisé le développement industriel. L'économie était devenue une affaire continentale, voire mondiale. La religion s'était également transformée, et l'accent était dorénavant mis sur une meilleure compréhension des croyances individuelles. La science avait fait des pas de géant et les philosophes avaient pris conscience de la possibilité, pour l'homme, de découvrir des vérités qui, jusque-là, lui étaient restées cachées. L'individu devenait tranquillement plus important que le groupe. On pouvait croire que la vague révolutionnaire allait entraîner les Européens encore plus loin sur de telles voies. Tel ne fut pas le cas.

L'Europe suivait avec attention et intérêt ce qui se déroulait en France. L'empereur autrichien Joseph II nota ainsi que les premiers acquis révolutionnaires reprenaient des politiques qu'il avait déjà mises en œuvre dans ses États. Mais la radicalisation progressive de la Révolution effraya rapidement le continent. Loin de favoriser les libertés individuelles et l'égalité entre les hommes, les événements français redonnèrent des ailes aux forces conservatrices. Les Lumières furent blâmées pour ce déchaînement des passions. Ici et là, les monarques mirent un frein à leur volonté de réforme. Ainsi, Catherine II, qui, au début de son règne, avait manifesté une certaine volonté d'améliorer la condition des serfs russes, cessa de s'intéresser à cette question. En Autriche, les réformes agraires amorcées furent également ralenties, voire abandonnées.

Les Européens de la deuxième moitié du XVIIIe siècle avaient été élevés au rythme d'appels au changement sans cesse renouvelés. L'évolution des différentes facettes de la société européenne depuis deux siècles était perceptible aux yeux de tous. En France, certains avaient même pu rêver d'une transition paisible entre monarchie absolue et monarchie constitutionnelle. Si, dans ce royaume, certains changements finirent par s'imposer de façon brutale, il ne faut pas oublier que Napoléon rétablit plusieurs des éléments qui avaient été abolis par les révolutionnaires des années 1790, à commencer par la noblesse. La société de l'Ancien Régime avait mis près de mille ans à se construire, elle ne pouvait disparaître en quelques années. Malgré la tourmente révolutionnaire, l'Histoire continua sa lente évolution.

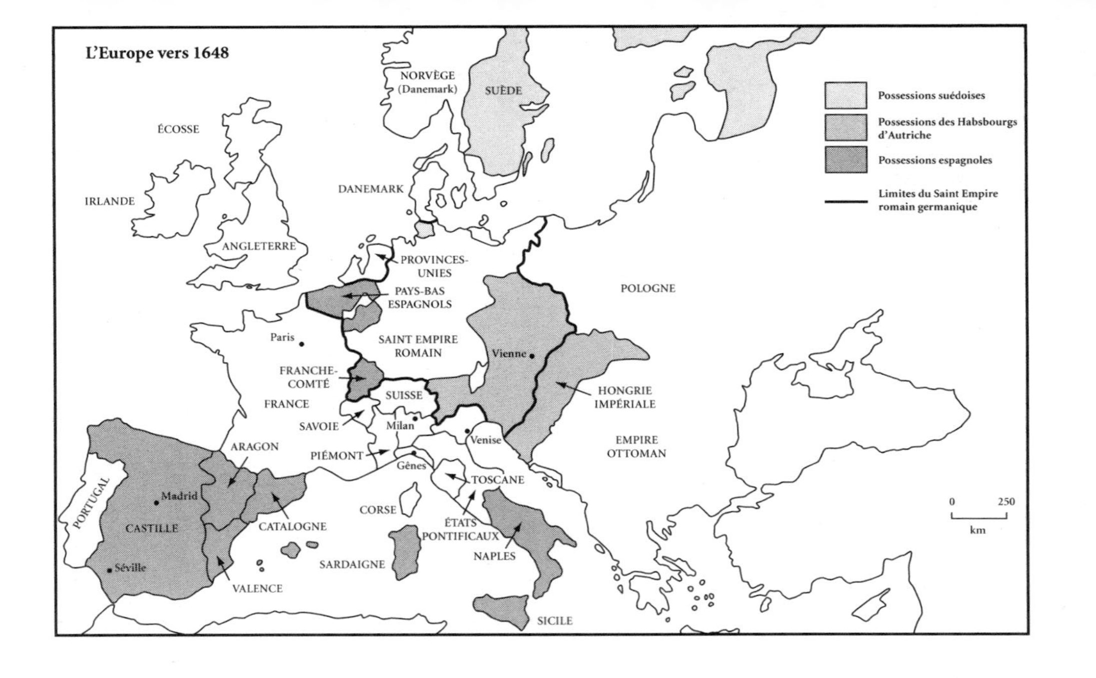

L'Europe vers 1648
Possessions suédoises
Possessions des Habsbourgs d'Autriche
Possessions espagnoles
Limites du Saint Empire romain germanique
NORVÈGE (Danemark)
SUÈDE
ÉCOSSE
IRLANDE
DANEMARK
ANGLETERRE
PROVINCES-UNIES
PAYS-BAS ESPAGNOLS
POLOGNE
Paris
SAINT EMPIRE ROMAIN
Vienne
FRANCHE-COMTÉ
SUISSE
HONGRIE IMPÉRIALE
FRANCE
SAVOIE
Milan
Venise
EMPIRE OTTOMAN
ARAGON
PIÉMONT
Gênes
TOSCANE
Madrid
PORTUGAL
CASTILLE
CATALOGNE
CORSE
ÉTATS PONTIFICAUX
NAPLES
0
250
km
Séville
SARDAIGNE
VALENCE
SICILE

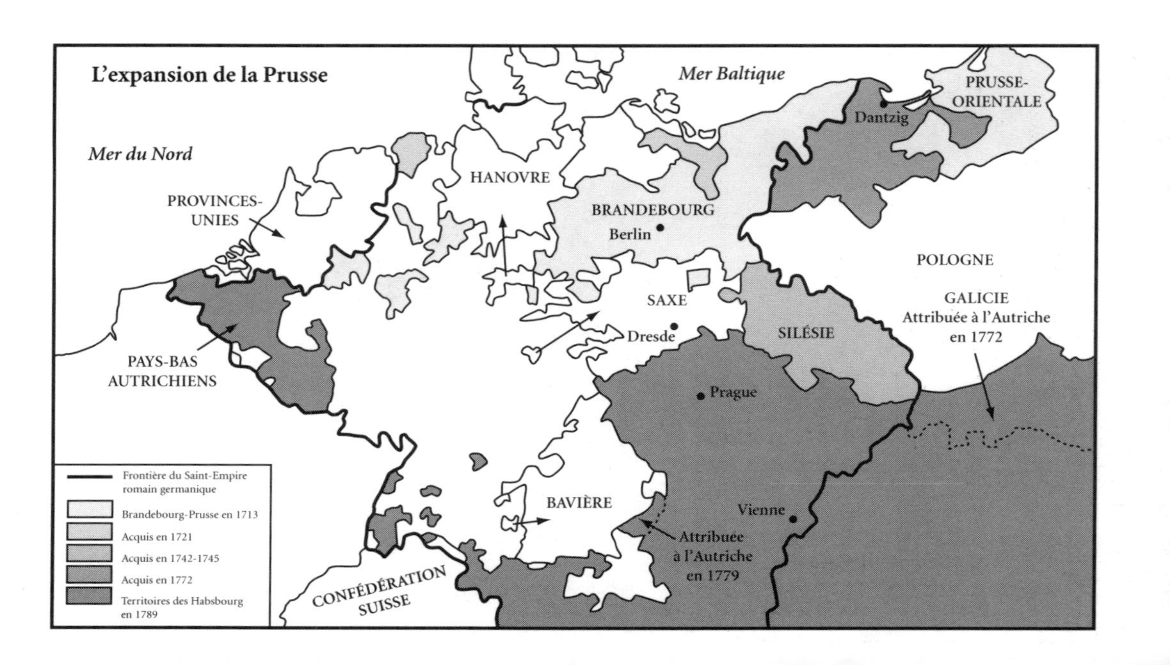
L'expansion de la Prusse
Mer du Nord
Mer Baltique
PRUSSE-ORIENTALE
Dantzig
HANOVRE
PROVINCES-UNIES
BRANDEBOURG
Berlin
POLOGNE
SAXE
Dresde
GALICIE
Attribuée à l'Autriche
en 1772
SILÉSIE
PAYS-BAS AUTRICHIENS
Prague
BAVIÈRE
Vienne
Attribuée
à l'Autriche
en 1779
CONFÉDÉRATION SUISSE
Frontière du Saint-Empire romain germanique
Brandebourg-Prusse en 1713
Acquis en 1721
Acquis en 1742-1745
Acquis en 1772
Territoires des Habsbourg en 1789

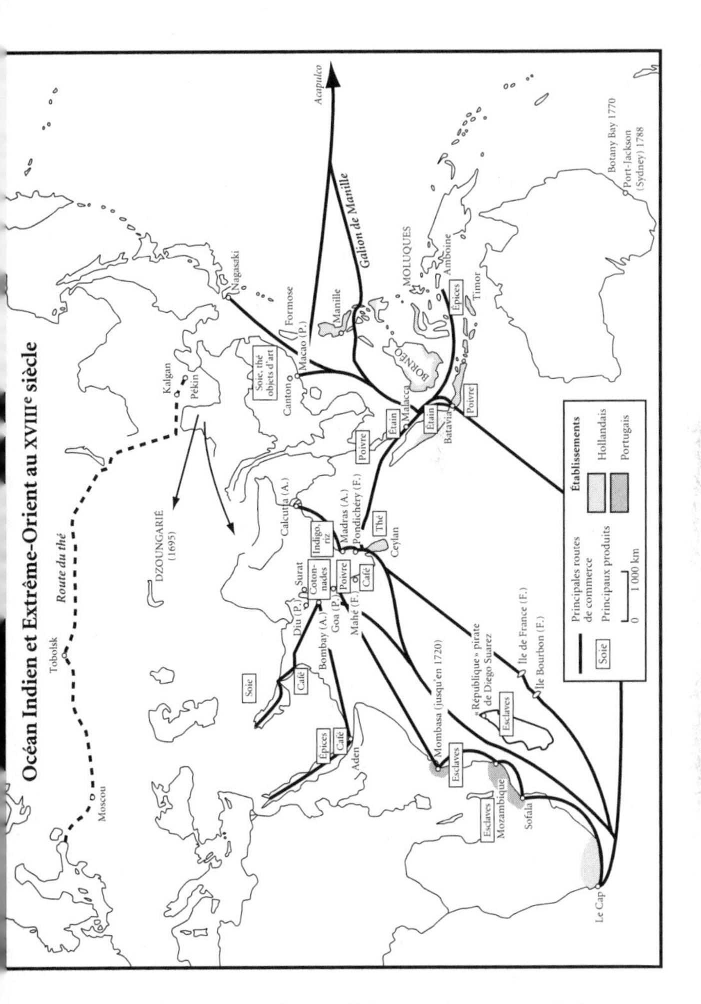

Source : P. Chaunu, *La Civilisation de l'Europe des Lumières*, Paris, Arthaud, 1971.

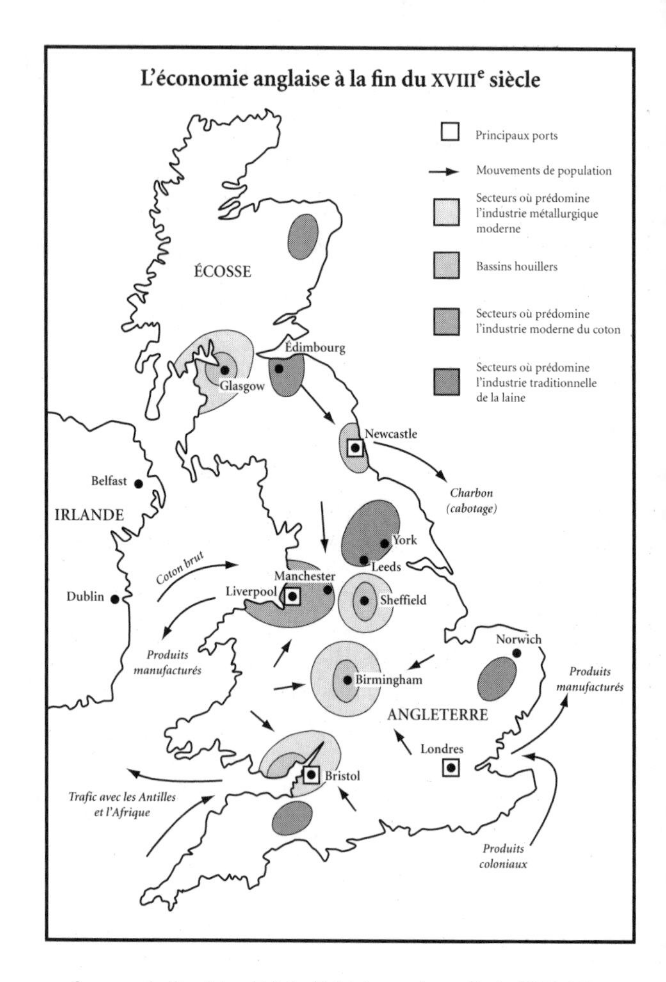

Source : A. Corvisier, *Précis d'histoire moderne,* Paris, PUF, 1971, p. 431.

Les principales villes européennes, 1600-1800 (population en milliers d'habitants)

Vers 1600		Vers 1700		Vers 1800	
Paris	300	Londres	575	Londres	948
Naples	275	Paris	500	Paris	550
Londres	200	Naples	300	Naples	430
Venise	151	Amsterdam	200	Moscou	300
Séville	135	Lisbonne	180	Vienne	247
Lisbonne	130	Madrid	140	Saint-Pétersbourg	220
Milan	120	Venise	138	Amsterdam	217
Palerme	105	Rome	135	Dublin	200
Prague	100	Moscou	130	Lisbonne	195
Rome	100	Milan	125	Berlin	172
Dantzig (Gdańsk)	80	Vienne	114	Madrid	168
Moscou	80	Palerme	100	Rome	153
Tolède	80	Lyon	97	Palerme	139
Florence	76	Marseille	90	Venise	138
Rouen	70	Bruxelles	80	Milan	138
Grenade	69	Florence	72	Hambourg	130
Madrid	65	Séville	72	Lyon	109
Tours	65	Grenade	70	Copenhague	101
Valence	65	Hambourg	70	Marseille	101
Smolensk	64	Anvers	67	Barcelone	100

Source : P. Bairoch, J. Batou, P. Chèvre, *La Population des villes européennes de 800 à 1850. Banque de données et analyse sommaire des résultats*, Genève, Droz, 1988, p. 178.

Taux d'urbanisation par pays en %
de la population totale
(dans les frontières de l'Europe actuelle)

Pays	1600	1700	1750	1800
Allemagne	8,5	7,7	8,8	9,4
Belgique	29,3	30,6	22,2	21,7
Espagne	21,3	20,3	21,4	19,5
France	10,8	12,3	12,7	12,9
Italie	22,6	22,6	22,5	21,9
Pays-Bas	34,7	38,9	36,3	34,1
Portugal	16,7	18,5	17,5	15,2
Royaume-Uni	7,9	11,8	17,3	20,8
Scandinavie	3,8	4,8	6,2	6,2
Suisse	5,5	5,9	7,7	6,9
Autriche-Hongrie Tchécoslovaquie	4,9	4,8	7,3	7,9
Balkans	13,5	12,5	13,3	11,2
Roumanie	4,4	4,2	6,4	4,3
Pologne	7,6	4,3	4,4	4,8
Russie d'Europe	5,3	4,8	4,8	5,0
Europe (ensemble)	11,7	11,4	12,0	11,9

Source : P. Bairoch, J. Batou, P. Chèvre, *La Population des villes européennes de 800 à 1850. Banque de données et analyse sommaire des résultats*, Genève, Droz, 1988, p. 259.

Taille des armées européennes, 1630-1780

	Vers 1630	Vers 1650	Vers 1670	Vers 1700	Vers 1740	Vers 1780
Angleterre	–	70 000	–	87 000	–	100 000
Autriche	–	–	–	50 000	108 000	200 000
Espagne	300 000	100 000	70 000	50 000	–	50 000
France	150 000	100 000	120 000	40 000	160 000	156 000
Pays-Bas	50 000	–	110 000	100 000	40 000	–
Prusse	–	12 000	30 000	40 000	83 500	160 000
Russie	35 000	–	130 000	170 000	30 000	500 000
Suède	45 000	70 000	63 000	100 000	–	–

Source : G. Parker, « The "Military Revolution", 1560-1660. A Myth », *Journal of Modern History*, t. XLVIII, 1976, p. 206 ; J. Childs, *Armies and Warfare in Europe, 1648-1789*, New York, Holmes and Meier, 1982, p. 42.

Bibliographie

BÉLY, L., *Les Relations internationales en Europe, XVIIe-XVIIIe siècles,* Paris, PUF, 1992.

—, *La France moderne, 1489-1789,* Paris, PUF, 1994.

BLUCHE, F., *Dictionnaire du Grand Siècle,* Paris, Fayard, 1990.

DARNTON, R., *L'Aventure de l'Encyclopédie, 1775-1800 : un best-seller au siècle des Lumières,* Paris, A. Perrin, 1982.

DELON, P., *Dictionnaire européen des Lumières,* Paris, PUF, 1997.

DOYLE, W., *The Old European Order, 1660-1800,* Oxford, Oxford University Press, 1992.

DUKES, P., *The Making of Russian Absolutism, 1613-1801,* Londres, Longman, 1990.

GOUBERT, P., ROCHE, D., *Les Français et l'Ancien Régime,* Paris, Armand Colin, 1984.

HOURS, B., *L'Église et la Vie religieuse dans la France moderne XVIe-XVIIIe siècle,* Paris, PUF, 2000.

INGRAO, C., *The Habsburg Monarchy, 1618-1815,* Cambridge, Cambridge University Press, 1994.

JOUANNA, A., *Le Devoir de révolte. La noblesse française et la gestation de l'État moderne, 1559-1661,* Paris, Fayard, 1989.

LEBRUN, F., *L'Europe et le monde,* XVIe, XVIIe, XVIIIe *siècle,* Paris, Armand Colin, 1997.

MUCHEMBLED, R., *Culture populaire et culture des élites dans la France moderne (*XVe-XVIIIe *siècles),* Paris, Flammarion, 1978.

TUTTLE, E., *Les Îles Britanniques à l'âge moderne 1485-1783,* Paris, Hachette, 1996.

VOVELLE, M., *L'Homme des Lumières,* Paris, Seuil, 1996.

Dans la collection « Boréal express »

1. Bernard Dionne, *Le Syndicalisme au Québec*
2. Marcel Jean, *Le Cinéma québécois*
3. Réjean Beaudoin, *Le Roman québécois*
4. Renée Dupuis, *La Question indienne au Canada*
5. Luc Bernier et Carolle Simard, *L'Administration publique*
6. Édith Madore, *La Littérature pour la jeunesse au Québec*
7. Lorraine Pilette, *La Constitution canadienne*
8. Fernande Roy, *Histoire des idéologies au Québec*
9. Mira Falardeau, *La Bande dessinée au Québec*
10. Julien Bauer, *Les Minorités au Québec*
11. André Bernard, *Les Institutions politiques au Québec et au Canada*
12. Yves Boisvert, *Le Postmodernisme*
13. Janick Auberger, *Le Monde gréco-romain*
14. Michel Hébert, *Le Moyen Âge*
15. François Guérard, *Histoire de la santé au Québec*
16. François-Pierre Le Scouarnec, *La Francophonie*
17. Andrée Dufour, *Histoire de l'éducation au Québec*
18. Madeleine Greffard et Jean-Guy Sabourin, *Le Théâtre québécois*
19. Ginette Durand-Brault, *La Protection de la jeunesse au Québec*
20. Claude Sutto, *La Renaissance*
21. François Dumont, *La Poésie québécoise*
22. Michel De Waele, *L'Europe aux* XVIIe *et* XVIIIe *siècles*
23. Janick Auberger, *Les Athéniens à l'époque classique*

MISE EN PAGES ET TYPOGRAPHIE :
LES ÉDITIONS DU BORÉAL

CE DEUXIÈME TIRAGE A ÉTÉ ACHEVÉ D'IMPRIMER
EN SEPTEMBRE 2008
SUR LES PRESSES DE MARQUIS IMPRIMEUR
À CAP-SAINT-IGNACE (QUÉBEC).